LE TIERS TEMPS

MAYLIS BESSERIE

LE TIERS TEMPS

roman

GALLIMARD

Dans la cour de la Canopée, une seule Marguerite. Pour elle.

PREMIER TEMPS

Au Tiers-Temps

Paris, 25 juillet 1989

Elle est morte. Il faut sans cesse me le rappeler : Suzanne n'est pas dans la chambre, elle n'est pas avec moi, elle n'est même plus. Elle s'est... enfouie. Pourtant, ce matin, sous ma vieille couverture, c'est comme si elle était là – pas enfouie, même pas morte –, là, sous la couverture, blottie contre son vieux Sam. D'ailleurs, c'est parce qu'elle est là, appuyée sur mes vieux os, étendue contre ma pauvre carcasse, que je sais que moi, je ne suis pas enfoui.

J'ai tout de même un peu froid. Je suis trop maigre. Ma mère me le disait toujours. Quand j'étais enfant, je courais sans cesse, dans les rues, dans les champs, je courais pour ne pas avoir froid parce que j'étais trop maigre. Je courais pour ne pas entendre May me dire que j'étais trop maigre. Je courais. Un jour, j'ai couru si longtemps que je suis parti pour de bon. Parti par la mer. Parti très loin de May.

Suzanne a couru longtemps à mes côtés. À travers la forêt, sur les feuilles mortes et humides, sur les racines enfouies des arbres. Nous avons couru, le vent à nos trousses nous poussant toujours plus profondément dans la nuit. Nous avons eu peur du craquement de nos pas, de nos poids. Alors nous avons couru de plus belle, couru de peur. Suzanne avait mal aux pieds, elle a couru quand même. Les ronces nous piquaient. Mes guiboles battaient la terre, je sentais mon cœur courir, comme Suzanne. Suzanne agrippait mon épaule, mon pardessus, elle s'accrochait à moi pour soulever ses pieds fatigués par la terre lourde. La terre qu'elle portait comme un fardeau, comme du plomb, à s'en faire péter les semelles.

Mes pieds, je ne les sentais pas. Je courais pour moi et pour Suzanne. Un pied chacun. Soulevé par la trouille. Depuis le temps qu'elle me traînait, elle était à bout. Fin de la course. Suzanne est morte. Elle n'est pas dans la chambre. Elle a lâché mon pardessus. Suzanne m'a lâché.

J'ai froid sous la couverture. Aujourd'hui, je crois que c'est vendredi. De mon lit, je ne vois du dehors qu'un platane déplumé. À Dublin, j'entendrais le cri des mouettes. La ville leur appartient et elles le crient, le gueulent – à toutes les portes. Elles encerclent les tours de Sandycove et remontent en horde jusqu'au centre. Elles s'égosillent et bouffent tout sur leur passage. Prédatrices, il faut les voir rôder. Je me revois, en Irlande, accélérant le pas. Mon ombre pressée se reflétant dans la Liffey, alors qu'elles étaient à mes basques. Il me semblait que mes genoux claquaient, ce n'étaient que mes semelles sur la pierre grise. Plus tard, lorsque je venais voir May – lorsque je venais voir ma mère –, les mouettes avaient encore grossi. Elles se tapaient les restes des cargaisons embarquées sur la Liffey. Elles se tapaient les restes des poubelles – elles grillaient la priorité aux pauvres; elles se tapaient les restes et même les pauvres.

Rue Dumoncel, je n'entends pas les mouettes. Je n'entends même plus Suzanne. Je n'entends plus rien. J'entends seulement ce que j'ai déjà entendu.

J'ai froid sous ma couverture. Il faut que je pense à une chanson.

Bid adieu, adieu, adieu,
Bid adieu to girlish days

La voix de Joyce. *It warms my heart.* La voix de Joyce sous ma vieille couverture. Il fait de la musique, même quand il écrit. Ses pieds volent sous le piano, d'une pédale à l'autre. Joyce fait de la musique et chante avec l'accent de Cork. L'accent de son père. De beaux restes de ténor. Il chante pour les amis : les Jolas, les Gilbert, les Léon; il chante pour Nino. Je l'écoute saoul – sous la table. La maison vibre, une fille danse. C'est la fille, celle de Joyce : Lucia. Je ferme les yeux. Lorsque Joyce achève le spectacle, il se lève sur ses trois pieds : les siens et sa canne de frêne. Il salue et aussitôt demande à boire. Il est irlandais.

Sur South William Street, je buvais au Grogan's. Je retrouvais mon ami Geoffrey, Geoffrey Thompson. Il était toujours flanqué de quelques acolytes attardés au comptoir. Je le retrouvais et nous buvions ensemble. Je me souviens, l'hiver, des clients blottis contre le zinc comme des moineaux sur un fil barbelé. Ils avaient pour habitude de poser leur chapeau et leur casquette à côté d'eux, pour boire à leur aise. J'aime le Grogan's. Le bois du sol et des murs, les rais bleus et orange que laissent passer les vitraux. Je me souviens des clients tous vêtus de façon identique : chemise blanche, gilet à boutons, veste et souliers noirs. Geoffrey portait la moustache. Une moustache épaisse qui ruisselait quand il buvait. Au pub, il avait son air content du soir. Geoffrey est un bon compagnon. Là-bas, les hommes plaisantent sans oser se regarder dans les yeux. Ils sont drôles et timides. Ils sont drôles, mais pas dans les yeux. Ils regardent au loin quand ils plaisantent. Ils fixent les bouteilles en verre blanc, sur les étagères, ou les pintes garnies d'un reste de mousse. À Dublin, tout intimide, tout est interdit. Je suis parti. En courant.

OBSERVATIONS MÉDICALES

Dossier : 835689

M. Samuel Barclay Beckett
83 ans
Taille : 1,82 m (6 feet)
Poids : 63 kg (9,9 stones)

Interc. I

Monsieur de 83 ans, écrivain, adressé par le Dr Sergent, qui est un de ses amis, pour un problème d'emphysème et de chutes à répétition, ayant entraîné des pertes de connaissance.

M. Beckett a des antécédents familiaux de maladie de Parkinson (branche maternelle).

Le 27 juillet 1988, après une chute dans sa cuisine, il a été retrouvé sans connaissance par son épouse. Admis au centre hospitalier de Courbevoie, les examens n'ont révélé ni fracture, ni hémorragie. Il a ensuite été transféré à l'hôpital Pasteur, afin de déterminer la cause de ses pertes d'équilibre.

Il n'a, jusqu'à aujourd'hui, pas présenté les symptômes classiques de la triade de la maladie de Parkinson : tremblements des membres au repos, lenteur des mouvements (akinésie), rigidité extrapyramidale. Néanmoins, des symptômes moteurs (rigidité musculaire et instabilité posturale) amènent l'équipe de neurologie de l'hôpital Pasteur à soupçonner une forme atypique ou associée de la maladie. Le patient dit également avoir de plus en plus de difficultés à écrire (micrographie) et à tenir son stylo.

Son état de « précarité physique » nous a incités à lui proposer un séjour en maison de retraite médicalisée.

Il réside au Tiers-Temps depuis le 3 août 1988. Sa femme est aujourd'hui décédée. Gravement dénutri à son arrivée, le traitement hypercalorique/hypervitaminé en intraveineuse et l'oxygénothérapie au long cours ont amélioré son état. Il a obtenu l'autorisation de sortir seul de la résidence pour faire une promenade, par temps sec, lorsqu'il s'en sent capable.

TRANSMISSIONS INFIRMIÈRES DE M. BECKETT

Nadja, infirmière :

Monsieur Beckett est un patient très à cheval sur son emploi du temps. Il lit et écrit le soir et se lève donc tard. Pour ma part, j'ai pris l'habitude de venir dans sa chambre à la toute fin de ma tournée, autour de 9 h 45-10 h, pour ne pas l'importuner.

Il n'est pas perfusé et fait, selon son souhait, sa toilette sans infirmière.

C'est un patient très silencieux, mais courtois avec le personnel.

À sa demande, il prend ses repas dans sa chambre et ne participe pas aux activités proposées aux résidents.

Lorsqu'il est en forme, il quitte l'établissement en début d'après-midi pour faire une promenade recommandée par le kinésithérapeute (15-20 minutes). Il reçoit souvent des visites en fin d'après-midi. Boit un peu d'alcool. Continue à fumer.

Plan de soins :

— Régime hypercalorique poursuivi par voie orale jusqu'au retour dans la courbe de poids.

— Oxygénothérapie à la lunette, débit de 1 à 2 litres minute.

Au Tiers-Temps

26 juillet 1989

Je suis dans le jardin. Je ne sais pas si on peut vraiment dire que c'en est un, mais je suis «dans le jardin». C'est comme ça qu'on l'appelle. Je me plie au nom qu'on lui donne. Dans le jardin, le gazon est en plastique vert antidérapant. C'est un faux gazon sur lequel on marche comme s'il était vrai, pourtant il ne l'est pas, puisqu'on ne peut s'y étaler. C'est d'ailleurs grâce à lui que je suis dans le jardin.

Ce matin, je ne suis pas très solide. L'homme qui vient chaque jour faire travailler mes jambes me l'a dit : *Monsieur Beckett, ce matin, vous n'êtes pas très solide.* J'ai pourtant fait mes exercices. Je les ai faits de mon mieux. J'ai levé la jambe, l'ai reposée. J'ai recommencé plusieurs fois, autant de fois qu'il m'a demandé de le faire. J'ai fait de même avec l'autre. L'autre, c'est plus difficile. Je la lève aussi, du moins je m'y emploie avec détermination, mais elle résiste. Je la lève néanmoins et je la repose. J'échoue et je recommence. Malgré tout, je parviens à marcher. Enfin, marcher, c'est peut-être excessif. Je donne une impulsion jusqu'à ce que mon autre pied, qui se trouve à quelques centimètres du premier, finisse devant. Mes pieds se livrent à cette course d'escargot et je marche. Ça ne marche pas très bien.

Le faux gazon forme une bande sous le mur. La bande de gazon. C'est là-dessus que je me promène, quand je ne suis pas très solide. Certains jours, l'infirmière Nadja se promène sur la bande de gazon avec moi. Sa chevelure est brillante, elle doit y mettre quelque huile vertueuse et parfumée. Je la sens, quand elle prend mon bras, comme à un vieux mari. Je la sens, lorsqu'elle effleure ma vieille charpente pour l'aider à se mouvoir. Je la sens. Que se dit-elle ? Que se dit-elle, quand elle prend mon bras inerte et que je la regarde derrière mes grosses lunettes de hibou ? Je ne sais pas. Elle fait son travail. Elle est gentille. Si je l'ennuie, elle ne me le fait pas sentir. Moi, je sens de loin ses cheveux. Je ne m'approche pas – honte de ce qu'elle pourrait sentir. Je laisse pendre mon bras, en espérant qu'elle le prenne. Ça n'arrive pas tous les jours.

Le mur qui entoure le jardin est élevé. Rue d'Ulm, ce n'était pas un mur, mais des grilles qui s'élevaient. Les grilles que je devais franchir. Je sautais le mur pour aller boire. Je buvais et je sautais le mur. Je le sautais dans les deux sens. À l'aller et au retour. Moins de grâce au retour, mais je sautais quand même. Je buvais avec l'ami Tom. Jamais avant dix-sept heures. Impératif catégorique. Je buvais au Cochon de Lait des Mandarin-curaçao, du Fernet-Branca, du Real-Porto. Saoul comme une bête. À en perdre mes lunettes, à tomber dans le moindre trou, à me répandre – ermite sorti d'un silence qu'il avait juré éternel. Ivre idiot, ivre hilare. L'esprit vidé par le plein. Léger, si léger. Si seulement j'avais écouté mon père, j'aurais coulé des jours heureux chez Guinness, brasseur radieux et florissant. Au bonheur des bulles. Hélas. Ça me revient maintenant que je suis vide. Que je ne sais plus écrire. Que je n'écris plus. Presque plus.

Je buvais aussi avec Joyce. Dans de beaux ballons. Nous buvions à l'heure où les bêtes rentrent à l'étable, du fendant-de-sion blanc, en quantité industrielle. Joyce convertissait tout le monde à son nectar – qui lui rappelait *l'urine d'une archiduchesse*, disait-il. Joyce convertissait tout le monde. Joyce était une vraie duchesse.

If anyone thinks that I amn't divine
He'll get no free drinks when I'm making the wine
But have to drink water and wish it were plain
That I make when the wine becomes water again.

Bon Dieu, ce jardin transpire la pisse. Des rivières de pisse de vieillards ruissellent sur le faux gazon. Si c'était un vrai, il aurait jauni. Par chance, il est en plastique. Il a gardé sa couleur. Un petit arrosage d'eau et il n'y paraît plus. En revanche, contre les relents rien à faire. Il n'y a rien à faire de toute façon.

Dans le jardin, je tremble de me faire attraper. Que l'on me dise : *Monsieur Beckett, je vous aide un peu.* Que l'on m'attrape par le bras, comme si j'étais une vieille tante que l'on promènerait dans le jardin. À qui l'on montrerait les fleurs. Ou les nuages. Je tremble que l'on me touche. Quand quelqu'un me touche, je m'attends toujours au pire. Pourtant, il fut un temps où l'on me touchait souvent. Peggy, par exemple, me touchait beaucoup. Elle me touchait vigoureusement. Elle m'empoignait comme un guerrier tient la selle de sa monture avant de se dresser sur elle. Elle me harponnait de ses mains solides. Elle s'accrochait à ma chair, la décollait de mes os et la brandissait comme un trophée. Elle se saisissait de moi avec un tel élan... Je ne sais pas ce que c'était. Si c'était le vrai amour. Mais elle m'agriffait. Elle m'agriffait et moi, j'aimais ça. Je veux dire, je me laissais faire. Si je la laissais faire, c'est que je devais aimer ça. Certainement. Aimer qu'elle s'agrippe à m'en brûler l'écorce. Qu'elle me dépouille comme le lapin auquel on décolle son pyjama de poils, après l'avoir assommé d'une pierre lourde. Oui, j'aimais ça. J'ai aimé ça longtemps.

À Foxrock, il y avait aussi cette fille. Son nom m'échappe. Cette fille qui se plaisait à me pincer sur le trajet du Dart, le train de banlieue. Lorsque je montais à la gare de Glenageary, elle était souvent là. Plutôt jolie. À l'irlandaise. Une grande fille dodue – *a fine girl.* Elle prenait place à mes côtés, une fontaine de cheveux dégoulinait dans son dos. La dodue me piquait de ses doigts charnus redoutables. Un majeur et un pouce dans le creux des côtes, les ongles enfoncés. Je hennissais. Ça l'amusait diablement. Je ne me souviens plus du début de cette histoire. Comment a-t-elle pu prendre le pli, le pli de me pincer ? Je ne sais pas. J'avais dû dire quelque chose. Quelque chose d'obscène. Je faisais ça souvent avec les étrangères – je veux dire, les inconnues. Je disais des choses obscènes et parfois je me faisais prendre et même pincer. Elle s'amusait diablement entre mes côtes. Je me plaisais follement entre ses cuisses. Je la piquais, elle me pinçait. Peggy me pinçait aussi. Ça a fini par faire mal.

CARNET DE SUIVI

26 juillet 1989

Sylvie, aide-soignante (9 h à 18 h) :

Lever 9 h 45. A petit-déjeuné d'une tasse de thé et de deux biscottes.

Toilette faite en autonomie par le patient.

Séance de kiné de 10 h à 10 h 20.

Déjeuner dans la chambre à 11 h 50 :
Velouté forestier
Filet de cabillaud citron, mousseline de carottes
Compote de cassis

Mange peu. Repas supplémentés (crèmes desserts hypercaloriques en remplacement des jus de fruits que le patient n'aimait pas).

Promenade jusqu'à la place d'Alésia, essoufflé au retour.

Visite de son amie Mme Fournier. Deux verres de whiskey vers 17 h.

Nadja, infirmière (18 h à 00 h) :

De très bonne humeur en fin d'après-midi. Plaisante.

Dîner dans la chambre à 18h45 :
Potage Polignac
Salade de pâtes savoyarde
Rondelé aux herbes
Flan aux fruits rouges

Minuit, fin de ma garde. Encore à sa table de travail.

Au Tiers-Temps

29 juillet 1989

Je suis dans ma chambre. Intérieur avec lit, table de chevet, commode, étagères, réfrigérateur d'appoint procuré par l'indéfectible Édith, indéfectible amie. Traductrice hors pair.

Devant la fenêtre, table pour écrire quelques nouvelles et téléphone couleur crème. C'est à peu près tout. Le décor n'aurait pas été pour déplaire à ma mère. Aussi gai que sa chambre – fantaisie protestante. Cette chambre n'est pas vraiment la mienne. Ce n'est pas ma chambre. C'est là que l'on me garde. Là que je réside, que je reçois désormais mes lettres. Mon lit est coiffé d'un lustre-chandelier à trois ampoules, maintenu au plafond par une chaîne. À chaque mouvement dans les étages supérieurs, il menace de céder. S'il venait à s'affaisser, ce serait la fin. Toujours des promesses ! Il dégringolerait, m'achèverait subitement. Une fin prompte. Un accident fortuit. Inespéré. Ce n'est pas l'aventure tous les jours. Quelques lignes dans le journal : *Des lustres qu'on n'avait pas vu l'ombre d'un Irlandais* (il n'était plus que l'ombre de lui-même) *se faire étriller de la sorte.* Pour l'heure, la lumière est encore, elle plane au-dessus de ma cervelle molle.

Lorsque j'allume le lustre, autour de dix-huit heures, ma chambre se charge de fauve. Je veux parler de la couleur. Ça arrange bien le papier peint, cette lumière. Ça libère. Le jaune crasseux en devient presque bol ou mauve. Quand je suis à ma table, autour de dix-huit heures, je contemple la lune, si le ciel est sans nuages. La nuit se pose sur moi, comme au bord du lac de Glendalough. Mon père ébouriffe ma chevelure de hérisson, en silence. La nuit se pose, en silence. Nous la regardons se poser et nous attendons. Nous attendons toujours, alors que la lumière décline. *That's it*, voilà ce que dit mon père. Ça y est, c'est bientôt la fin. Les nuages roses vont disparaître derrière les montagnes de Wicklow. Il est temps de rentrer. De redescendre. L'obscurité a changé les sentiers. Mon père entoure ma main de sa ceinture et me guide. Nous sommes deux aveugles dans la forêt. Je me laisse mener par la sangle. J'enjambe, pour ne pas buter contre des racines. J'enjambe la nuit de mes galoches. La nuit immense me relie à mon père, en silence. Mon père est un hibou dans la nuit, la lune lui suffit.

À notre retour, May enrage. Elle écume. Elle foudroie. Ma mère foudroie toujours quand elle s'inquiète. Quelques minutes avant, avant que ça ne soit la nuit au bord du lac de Glendalough, avant que la lune ne se pose, May se tait. Silence heureux. Silence qui précède le tonnerre.

Ce soir, la lune est rousse. J'ai mal à la jambe ; je me penche sur ma table pour regarder la lune rousse. La lune miel. Je suis dans la chambre de Joyce.

Wait till the honeying of the lune, love!

Je suis assis face à lui. Un bandeau recouvre son œil gauche, sous ses lunettes. Ses lunettes rondes et épaisses. Je le regarde sans savoir s'il me voit. L'élastique du bandeau sépare la chevelure au-dessus de ses tempes. Il regarde au loin. Peut-être la lune. La lune miel. Il porte un costume bis et une chemise à rayures fermée par des boutons de nacre. La moustache lui va bien. C'était une bonne idée la moustache. Elle cache ses lèvres en chapeau de gendarme. Un trait de poil relie aussi sa bouche à la base de son menton. Il dicte, d'un trait. Il croise les jambes, un pied sous l'autre. Je le regarde et je fais de même. Il dicte. Je ne sais pas s'il me voit. Sa vue baisse, il baisse les yeux. Tout juste détecte-t-il peut-être mon ombre en dictant.

Nous sommes assis comme deux compères devant les feuilles éparses. Je tape à la machine. Les mots se couchent. Je tape vite. On tape à la porte. *Entrez*. Lucia, sa fille adorée, me salue. Elle transmet un message à son père et me sourit d'un air espiègle. Elle est belle malgré ses yeux. L'alignement de ses yeux n'est pas parallèle. Je ne sais pas si on peut dire *parallèle* ou *pas parallèle* quand on parle de l'alignement des yeux. En tout cas, les yeux de Lucia ne le sont pas. Ils ne l'empêchent pas d'être belle.

Lucia quitte la chambre de Joyce. Je tape encore sur la machine le livre de Joyce, le *Work in Progress* – ça progresse lentement. Musique de la langue, des langues. Je tape son anglais plein d'Irlande. Il la crache page après page, l'Irlande de nos mères. L'Irlande de May. Il la rend sous mes doigts. C'est très contagieux. Contagieux par la langue. J'ai mis longtemps à en guérir. De l'Irlande, de Joyce, de May. De Joyce, de ma mère, de ma langue. Y suis-je parvenu ? Je ne sais pas. Il faut dire que c'est une condamnation que nous recevons dès la naissance : être les fils de nos pères et de nos mères. Naître sous eux. Sous May. Très en dessous de Joyce. On peut dire que ça commence mal. Je ne dis pas que j'ai fait ce qu'il fallait. Non. J'aurais certainement pu faire mieux. Prendre quelques précautions. Ou même des mesures draconiennes. Combattre le mal par le mal. J'aurais pu tuer May, par exemple. Tuer ma mère, ça, ce n'était pas si difficile. J'en ai eu mille fois l'occasion. Il aurait suffi d'un petit coussin. Maintenu fermement. En silence. Juste quelques minutes. May n'aurait pas souffert. Ou pas longtemps. Je lui aurais épargné une si longue existence. À bien y réfléchir, c'eût été une action moins mauvaise qu'il n'y paraît. Y compris pour elle. Délivrance inespérée.

May était infirmière. J'aurais pu profiter d'un moment de fatigue, au retour d'une garde, au petit matin. J'aurais mis un terme à ses souffrances et aux miennes. Non, pour bien faire les choses, il aurait fallu que je la tue avant de naître – impossible naturellement. Ou en naissant, pourquoi pas ? Ça aurait été l'idéal. Une naissance charitable : la lumière et la nuit. Bien sûr, le mieux eût été que ma grand-mère non plus ne voie pas le jour. Nous aurions tous été tués dans l'œuf. Ça aurait été plus simple. Mais chronologiquement, il faut l'admettre, c'est le bordel.

Je ne lui en veux pas. Je ne lui en veux pas d'avoir traîné. De s'être accrochée à l'existence comme un oursin collé aux fentes rocheuses. Elle ne pouvait pas savoir. D'ailleurs, moi aussi j'ai traîné. J'ai erré dans la baie de Dublin, au milieu des algues et des phoques. Oui, la mer froide d'Irlande regorge de phoques. La mer glacée. Ils sont bien les seuls à s'y plaire. À s'y multiplier comme des pains, à la grâce de Dieu. À y forniquer comme des lapins de mer. À s'étendre sur les rochers prêts à recevoir l'hommage de leurs congénères. Les phoques. Mot merveilleux s'il en est. Je n'ai jamais pu m'y faire. Un délice. Question d'oreille, quand on dit « phoque », j'entends *fuck*. Une insulte en Irlande. Il n'y a rien, presque rien à faire, à changer. La façon dont nous prononçons *fuck*, dans la région d'où je viens – avec un « u » fermé, replié sur lui-même, pour ne pas dire honteux –, cette façon de dire *fuck* ressemble à un mammifère aquatique des plus gras. Dit comme ça, ça ne fait pas envie. Pourtant, dans mon souvenir, lointain souvenir, la chose était plutôt pas mal. Pas toujours, bien sûr. Mais souventefois, je m'adonnais à l'exercice du *fuck* avec la plus grande application. Exercice qui fut longtemps classé parmi mes disciplines favorites – avec le cricket et la bicyclette, bien évidemment. Qui justifiait un tant soit peu la punition de l'existence. D'ailleurs, je n'ai reçu que très peu de plaintes concernant mes services. Il était rare que je ne donne pas satisfaction – au moins sur le coup. Pauvre vieillard impudique. Je ferais mieux d'aller me coucher. De cesser de penser, de cesser d'écrire. D'ailleurs, je n'écris plus. Je reformule. J'aménage. Je m'amuse. J'irlandise, je francise, c'est selon. Gymnastique de débris. Par exemple, la nouvelle, ou plutôt la dernière, *Stirrings Still*. Je me dis « tiens, en français, ça serait pas mal » – comme un minot penché sur son latin. Je fais des soubresauts dans ma langue ; c'est tout ce qu'il me reste. Je n'écris pas, je radote. Je bats la breloque. Quand ai-je écrit pour la dernière fois ? Je ne sais plus. Je réponds aux lettres, reste d'éducation. Je réponds en étalant mes pauvres restes. Je donne des nouvelles, aux vieux amis, aux éditeurs anglais, ils sont contents que le vieux Sam donne des nouvelles, qu'il continue à gratter. Ils se disent « il a des restes ». Il reste si peu. Des espaces, des interlignes – désert blanc. J'ai si peu de mots. Ils sont tous usés jusqu'à la moelle. On ne le croirait pas comme ça, mais ça s'use les mots. Comme les fonds de culotte. Comme le cœur. Combien m'en reste-t-il au juste ? Je ne sais pas. Quelques aiguilles dissimulées dans des bottes. Encore des bottes. Toujours les mêmes mots qui tournent et disparaissent. Il me semble aujourd'hui que la feuille est immense. Et que ma plume elle aussi traîne la patte. Œuvre de la vieillesse. Elle contamine tout. Même les lettres. Écriture cursive, abrégée, à deux doigts du télégramme.

Cher ami, merci pour la vôtre – stop – Toute mon affection.

Ah, il est disert le Nobel ! Quelle connerie. Je ferais mieux d'aller me coucher, d'éteindre la lumière. Si je m'endors, je retournerai peut-être dans la mer glacée d'Irlande – bain revigorant, cure de jouvence. J'ouvrirai les yeux dans l'eau. Je laisserai le sel les rougir. Il y aura peut-être des sirènes, qui sait ? Je rêverai de phoques.

ÉVALUATION DE L'AUTONOMIE DE M. BECKETT

30 juillet 1989

Monsieur Beckett assure seul les transferts « lever, assis, coucher » (sans aide de matériel, en prenant appui sur le mobilier de son environnement : bras de fauteuil, lit, table) :

- sans avoir à lui dire, à lui rappeler, à lui expliquer, à lui montrer ;
- en assurant l'ensemble des transferts dans les deux sens ;
- sans se mettre en danger ;
- chaque fois que cela est nécessaire et souhaité.

Il se déplace à l'intérieur des lieux de vie de la résidence (espaces collectifs, restaurant, salle de soins...) :

- sans avoir à l'orienter ;
- dans tous les lieux de vie jusqu'à la porte de la rue ;
- à bon escient et de façon adaptée à ses possibilités ;
- chaque fois qu'il en a le désir et le besoin.

Il ne reste pas confiné et effectue régulièrement des déplacements à l'extérieur :

– sans avoir à lui expliquer comment faire ;
– jusqu'au retour à la résidence ;
– en gérant le parcours, avec un but et de façon adaptée à ses possibilités ;
– chaque fois qu'il s'en sent capable.

K. L., psychologue

Au Tiers-Temps

30 juillet 1989

Cerveau en marmelade, la tremblote. Étale mes vilaines pattes de mouche sur le papier, dans mon refuge de semi-clochards. Je me réécris en français. Traduction de moi-même. Schizophrénie linguistique incurable. Amour-haine pour la langue maternelle. Indétricotable.

Je rassemble les dernières cellules valides de mon esprit rabougri. Travail laborieux : deux lignes, tout au plus, les jours de grand vent. J'avance si lentement que j'ai le sentiment d'avoir arrêté. D'ailleurs, conformément aux règles de la physique, il est probable qu'à force de ralentir je m'arrête. Que j'en finisse avec les mots ou eux avec moi.

Quand les yeux de Joyce l'ont abandonné, il en a trouvé d'autres. Il avait des yeux partout. Des yeux à son service, au garde-à-vous. Les yeux de ses esclaves, les yeux de ses anges. Je me suis mis au travail, derrière mes lunettes en roues de bicyclette. Je lui tenais le bras, l'air de rien, je le faisais traverser, l'air de rien. À son service, tous les jours, 2 square de Robiac. Lorsque le ciel était bas et les nuages roses. Lorsqu'il était l'heure d'écrire à la machine. Nous parlions de vache et d'Irlande.

Je le vois encore. Il croise les jambes. Il perche l'une d'entre elles sur l'accoudoir du fauteuil. Elle pend. Il pense. Le travail progresse. Ses mains se croisent sur son genou. Mes mains et mes yeux sont à son service, au service du travail qui progresse.

Le dimanche, c'est autre chose. Mes jambes me portent encore 2 square de Robiac, devant la porte noire surplombée de lauriers. Joyce ne dit pas Sam, il dit *monsieur*. Je dis *monsieur* aussi. Parfois le dimanche, devant la porte du 2 square de Robiac, alors que nous tournons rue de Grenelle puis avenue Bosquet dans l'idée de rejoindre la Seine, il dit *Beckett*. Juste Beckett, sans monsieur, sans rien, sans manières.

Au bord de la Seine, ça sent souvent le chien. Des dizaines de chiens qui se jettent à l'eau joyeusement, se donnent en spectacle. Ils ressortent lourds d'eau. Leur fourrure gorgée tire leurs traits et leur donne un air triste. Les enfants les regardent en silence jusqu'à ce qu'ils s'ébrouent; alors, ils se mettent à crier. La pluie de chiens mouillés annonce la fin de la toilette. Des femmes en tablier repassent les chaînes autour des cols. C'est au tour des enfants de patauger à moitié nus. S'il fait chaud. S'il fait bon. Les fourrures sèchent vite. Certains jours, sur les bords de Seine, on trouve aussi des tondeurs. Chapeaux de canotier, un cabot entre les jambes, contre le tablier. Le vent répand des monticules de poils sur les pavés et sur la Seine. Des monticules qui flottent et disparaissent. Le chien s'échappe enfin, la queue entre les jambes. Pas de ça le dimanche.

Le dimanche, je suis les quais pavés, l'homme de plume à ma gauche, jusqu'à l'île des Cygnes. Cette île qui n'en est plus une a une histoire peu banale. Une histoire triviale et mythologique. Une histoire comme les aimait Joyce. Avant d'être rattachée à la terre ferme sur les ordres d'une tête couronnée, l'île s'appelait Maquerelle. Les paysans y faisaient paître leurs vaches. Je ne crois pas qu'il y fut jamais question de maquereaux ni de maquerelles, mais de «ma querelle». Les querelles se réglaient ici, la Seine pour témoin, recelant dans ses profondeurs les corps lestés des victimes, des vaincus. La Liffey regorge, elle aussi, de ces morts honteuses et inutiles, dissimulées par des flots d'eau bénite. Cimetières marins engloutis des fauteurs, des suicidés, des trahis, coulés la nuit dans les basfonds. Crimes irrésolus, secrets marécageux.

Ce fut ainsi pendant des lunes. D'aucuns se querellaient sur l'île si nécessaire, en toute discrétion, sans emmerder quiconque d'aucune façon, à part, bien sûr, le protagoniste de la querelle. Mais voilà qu'un jour un roi de France et de Navarre se vit offrir, par une ambassade quelconque, des cygnes. Quarante cygnes. Des cygnes qui, plus agréables à la vue que les vaches, les paysans et leurs querelles, devinrent les maîtres de l'île. Sa Majesté fit tout ce qui était en son pouvoir pour les préserver. Elle fit défense à toute personne d'entrer dans l'île sans permission, aux bateleurs d'y aborder, de prendre les œufs et de les chasser. Il eut beau faire, des cygnes, ce fut bientôt la fin. Les cygnes las s'éteignirent. Sûrement après quelques querelles. Nul ne sait. Toujours est-il que l'île était encore là. Même si elle n'en était plus une. Elle formait un quai sur lequel nous marchions, dans un quasi-silence. Tout juste quelques clapotis de cannes à pêche et le murmure sourd de l'admiration éternelle que j'avais, pauvre chien, pour mon maître.

EXTRAIT DU RÈGLEMENT INTÉRIEUR

Sorties des résidents

En dehors des résidents nécessitant la mise en œuvre de mesures de protection particulières pour assurer leur sécurité, chacun peut aller et venir librement. L'établissement est un lieu de résidence. L'admission en institution ne saurait justifier la mise en place de mesures entravant la liberté d'aller et de venir des résidents, quel que soit leur état de santé.

Lorsque l'état psychique du résident lui permet de choisir ses sorties en ayant conscience des risques encourus, l'établissement ne s'opposera pas à ses sorties, quels que soient les risques physiques existants. L'état psychique du résident est évalué par le médecin qui détermine donc avec l'équipe les conditions de sorties de chacun des résidents.

L'établissement ne saurait être tenu responsable des conséquences des sorties des résidents. En cas de sortie, le résident doit en avertir un membre du personnel afin d'éviter toute inquiétude et d'organiser le service. À défaut, l'établissement mettra en œuvre une recherche de la personne dès qu'il se sera rendu compte de son absence et avertira les proches ou le tuteur des démarches effectuées.

Au Tiers-Temps

31 juillet 1989

Deux sorties par jour, par temps sec. Petit reste d'habitude. Petit bonheur. Dans des rues calmes, sans obstacles. Il faut d'abord choisir : à droite ou à gauche? Choix cornélien. À droite ou à gauche de la rue Rémy-Dumoncel. La décision comporte plus d'enjeux qu'il n'y paraît. Par exemple, admettons que, ayant franchi le salon des invités pour me rendre à la porte vitrée de l'entrée, je fasse le choix de tourner à gauche – ce que je m'apprête à faire. Avant de franchir la porte, il me faut anticiper le virage. C'est là une des singularités du vieux bipède condamné à l'équilibre précaire, ne pouvant compter que sur deux pieds et deux mains pour s'accrocher aux branches. Tout un art. Un bel emmerdement.

Sur les conseils de mon kinésithérapeute, je me prépare très en amont à l'exercice de bascule du poids du corps sur la jambe dite *tournante*. Je profite ingénieusement de l'ouverture de la porte pour me cramponner à elle et effectuer la légère rotation. Astuce subtile s'il en est. L'essai se révèle concluant.

Une fois lancé à gauche, la déambulation de la rue

Dumoncel me parut assez aisée. De ce côté défilent les numéros pairs, dans un ordre décroissant, jusqu'à l'avenue René-Coty. Étant parti du sage principe de n'intégrer à mon itinéraire que des rues calmes, il était absolument exclu d'envisager de poursuivre la promenade avenue René-Coty. Voitures nombreuses, trottoirs régulièrement encombrés par des travaux restreignant les possibilités de circulation, passants peu courtois. Niet. Par chance, au bout de la rue Dumoncel, juste avant de rejoindre l'avenue René-Coty, une patte-d'oie permet de prendre à droite – vive l'alternance – et de remonter la rue de la Tombe-Issoire. Si la descente de la rue Dumoncel est facilitée par une pente douce – avec juste ce qu'il faut d'entraînant pour ne pas se laisser emporter –, la rue de la Tombe-Issoire dissimule un faux plat. Je m'y engageai néanmoins, inspirant toutes les deux foulées pour économiser mes forces. Me voilà rendu dans la rue du géant Issoire qui, jadis, détroussait les voyageurs et dont la tête décapitée est enterrée quelque part sous mes vieux pieds. J'ai tellement marché. Sur les routes, dans les forêts. Enjambé les fossés, usé mes bottes jusqu'à la corde. Un jour, une de mes vieilles galoches a explosé sur le Boul'Mich. Marchant comme un clochard, la gueule de ma chaussure ouverte, chaussette à l'air, je n'ai eu d'autre choix que de me ruer dans le premier magasin venu. J'ai fait l'acquisition d'une nouvelle paire. Des chaussures pointues, élégantes, italiennes. Comme celles de Joyce. Des chaussures neuves prêtes pour le départ – *fresh start* –, pour le décollage. J'ai abandonné, avec soulagement, mes godillots dans la boîte neuve cartonnée. Mes croquenots épais et lourds. Allégé du fardeau de leur présence et du souvenir des kilomètres parcourus, j'ai marché. J'ai marché avec mes souliers neufs. Place Edmond-Rostand, rue de Médicis, rue de Vaugirard. J'ai trotté comme un jeune chien fou jusqu'à la rue de Grenelle. Jusqu'au square de Robiac. Joyce n'était pas là. Il n'y avait que sa fille pour me faire marcher. Lucia me servait du thé avec un sourire facétieux. Lucia ne m'appelait pas *monsieur*. Ni *Beckett*. Lorsque nous nous rendions au cinéma ou au théâtre, elle enroulait son bras autour du mien et me tirait contre elle. Lucia m'appelait *Sam. Mon Sam. My dear Sam.*

Je n'ai pas marché longtemps. Pas longtemps aux côtés de Lucia. J'ai traîné, c'est vrai, mais je n'ai pas marché longtemps. Un jour de printemps, j'ai dit à Lucia que je ne marchais plus. Que je n'étais plus *son Sam*. Une tempête a recouvert le ciel. Depuis longtemps, les nuages pesaient sur la maison des Joyce. Je n'étais plus *son Sam*, la porte du square de Robiac s'est refermée. Je me suis fermé à mon tour. Comme une huître.

ENTRETIEN INDIVIDUEL

31 juillet 1989

Monsieur Beckett a accepté librement le principe des consultations que je lui ai présenté à son arrivée.

Je le vois en entretien individuel, environ 30-40 minutes, tous les quinze jours, dans l'optique de lui apporter un soutien et d'encourager une resocialisation.

Quoique très aimable et répondant aux questions qu'on lui adresse, il affiche un certain repli, qui s'est accentué depuis le décès de sa femme.

Il ne désire pas prendre part aux activités et animations proposées par le personnel ou les intervenants extérieurs.

Néanmoins, monsieur Beckett bénéficie d'un entourage attentif. Il reçoit, chaque semaine, des coups de téléphone, des lettres et des visites d'amis ou de membres de la famille.

Ce repli est dans la continuité de la vie sociale qu'il menait avant de résider au Tiers-Temps, avec de forts liens intellectuels et une préservation importante de sa vie privée.

Il a également connu beaucoup de deuils de proches ces dernières années, accentuant sa tendance à la solitude.

Pour autant, il semble s'être bien adapté à la vie au Tiers-Temps. Il y poursuit même, à son rythme, ses activités d'écriture.

Au regard de son histoire et des traumatismes qu'il a pu vivre, je ne pense ni nécessaire ni souhaitable de l'inciter à une socialisation plus importante, qui risquerait de fragiliser le nouvel équilibre qu'il semble avoir trouvé ici.

K. L., psychologue

Au Tiers-Temps

2 août 1989

Bouillon de pensées franco-irlandaises. Pauvre croulant. Je ferais mieux d'aller me coucher. Poser mon livre. Éteindre ma lampe. La lampe de Joyce. Clic. L'ai-je bien éteinte ? On entend si peu le clic. Je recommence au cas où. La lampe est-elle éteinte ? Personne ne répond. Personne ne répondra, Sam. Il me semble qu'elle est éteinte. Je chausse mes lunettes et regarde ma lampe. Je la rallume et l'éteins à nouveau. J'allume pour éteindre. Pas de changement. Sauf la lumière.

Un rayon de lune éclaire encore le sol jusqu'au revers de ma couverture. On se croirait du côté de Combray : les joues sur l'oreiller et la raie sous la porte. Le doute se dissipe. La lumière, l'autre, celle qui perce dans l'interstice de la porte provient du dehors – privilège de vieux regroupés en troupeau. On laisse allumé au cas où. On chasse les ombres. On prend soin d'éclairer les spectres. La nuit, on en a vu mourir à la lumière. Griller, comme des papillons sur l'ampoule.

La lampe de Joyce. Après Lucia, la porte du square de Robiac s'est refermée. La lumière s'est éteinte. Clic.

Persona non grata. Que s'est-il passé ? Je ne sais plus. J'ai erré dans les villes inhospitalières. J'ai erré, cherchant mes mots, jusqu'à ce que la lumière revienne. Elle est revenue, un jour. J'ai retrouvé la lumière au bout de l'allée des cygnes où l'homme de plume m'attendait. Retrouvé Joyce, enfin.

Tiens, ça parle de l'autre côté. Les pas se rapprochent. C'est l'heure de la ronde. Les sentinelles sont sur le pont. Blouses blanches ou bleues, pieds dans les sabots. Extinction des feux. Couvre-feu des vieux. À moins que ça ne soit déjà le jour. Je ne sais plus, dans l'aveuglement de ma chambre, la fin ressemble au début. Je pourrais aussi bien être dans mon île, avec May et mon père qui se meurt. Mon père étendu sur le lit dans la maison entre la mer et la montagne. Le parfum des pois de senteur envahissant ses narines. Le cœur du brave lâche. Le voilà qui jure. Il jure qu'il se rendra bientôt au sommet de Howth, qu'il s'allongera dans les fougères et qu'il pétera du haut de la colline. Il jure que ce n'est pas la fin, qu'il admirera encore la baie de Dublin. *Lutter, lutter et lutter encore*, dit-il. Puis, c'est le silence. Comme tout est silencieux et vide désormais. Je ne sais plus quoi dire. J'ai perdu ma langue.

On frappe à la porte.

Je ne veux pas parler. Je ne saurais que dire, que répondre.

On frappe à nouveau.

Je recouvre mon visage de mes draps.

— Monsieur l'Irlandais ? Houhou, monsieur l'Irlandais ?

Qui est cette dingue qui bêle à ma porte ? À moins que ce ne soit moi qui suis complètement piqué ? Je vais allumer la lumière. Non, si je l'allume, elle saura que je suis éveillé. Je vais l'éteindre. Elle n'est pas allumée, je veux dire la lampe. La dingo quant à elle frappe encore, je veux dire, à la porte.

— Vous êtes là, monsieur l'Irlandais? Je voulais vous dire… «GOOD NIGHT»!

Je reste sous le drap de coton blanc, celui avec le liseré rouge aux initiales du Tiers-Temps, respirant à travers la toile l'odeur puissante de la lessive dont la seule vertu est sa capacité à recouvrir toutes les autres. La gâteuse glousse encore. Une voix l'appelle.

— Madame Pérouse, que faites-vous debout? Je vous raccompagne.

J'attrape le masque à oxygène que le médecin m'a recommandé de porter toute la nuit. Je l'attrape à tâtons, dans le noir. Je l'enfile comme un affamé, un boit-sans-soif, un privé d'air. Plus question de lumière, ni de lampe. Juste de l'air. De l'air, bon sang!

CARNET DE SUIVI

3 août 1989

Thérèse, aide-soignante (00 h à 8 h) :

La lumière de la chambre de monsieur Beckett est restée allumée jusqu'à 2 h.

Je suis allée lui rendre visite vers 1 h. J'ai frappé à la porte, il m'a répondu. Il était en train de lire à sa table. Je lui ai proposé de continuer dans son lit pour varier la posture et ne pas trop se fatiguer.

Il a effectué seul le transfert en ma présence.

Je l'ai laissé décider, de manière autonome, du moment de l'extinction de sa lumière, conformément à sa demande.

Sylvie, aide-soignante (9 h à 18 h) :

Lever 10 h. Réveil difficile. Monsieur Beckett n'a pas souhaité prendre de petit déjeuner et a décidé de se rendormir.

Il m'a assuré avoir des « réserves » dans son réfrigérateur personnel, lui permettant de se nourrir plus tard.

Toilette :

A pris un bain et assure seul son hygiène corporelle. Toilette du haut (y compris rasage et coiffage) et du bas (régions intimes, membres inférieurs).

A demandé une assistance pour couper ses ongles des pieds.

Habillage :

Monsieur Beckett choisit ses vêtements dans l'armoire et les prépare seul.

L'habillage du haut (maillot de corps, chemise, pull) et l'habillage moyen (boutons, fermetures, ceintures) ne posent pas de difficulté.

L'habillage du bas (chaussettes, chaussures) lui prend beaucoup de temps.

Au Tiers-Temps

3 août 1989

J'ai été réveillé par Hermine, veuve de Blin, le metteur en scène. Depuis que Blin est mort, elle m'appelle souvent, même tôt le matin. Pourtant je suis un couche-tard – ma réputation n'est plus à faire. D'ailleurs Roger le lui disait, du temps où il montait *Godot, Sam est un couche-tard, Sam est un chat de gouttière*. Roger est mort. De cela, je me rappelle. Hermine aussi me rappelle. Surtout depuis que Roger est mort. Elle me demande : *Je ne te réveille pas au moins?* Elle sait donc qu'elle me réveille. Elle le fait malgré tout. Ça ne fait rien.

Rêvé de Lucia. Lucia au Bal Bullier. Toute la famille était là. L'homme de plume était là avec sa femme Nora. Tous là pour applaudir leur fille. Une combinaison d'écailles collait à la peau de Lucia. Des sequins brillants cousus d'émeraudes remontaient de ses jambes à son cou. Les bras nus. Ses cuisses se rejoignent en une queue de poisson. Sa tête est tressée de vert et d'argent. Elle me regarde. Elle est plus belle que dans mon souvenir; la longue Lucia qui danse avec Schubert. Elle danse et elle me regarde. Joyce aussi me regarde. Je m'efforce de regarder ailleurs. Je remarque à mes pieds un chien tacheté. J'entends Lucia et Schubert, mais c'est le chien que je regarde. Il a des yeux enfoncés, mauvais. Des yeux de sauvage.

Gargouillade, saut de biche, j'écoute Lucia tourner en l'air, pendant que mes yeux, toujours occupés à autre chose, examinent la verrière du plafond. Je fixe la lumière zénithale aveuglante. J'écoute Schubert et Lucia qui glisse sur ses notes. Peut-être rampe-t-elle ? La lumière me brûle, mes yeux s'en détachent. Quand ils se posent enfin sur la scène, sur la scène sur laquelle Lucia danse, le chien me mord. Le satané cabot a la gueule de Joyce. Dring.

Après mon réveil, j'ai pris un bain sans infirmière – précision substantielle. Ce n'est pas pour dire du mal, elles font leur travail. D'ailleurs, je ne fais pas mieux, c'est le moins qu'on puisse dire. Le simple effeuillage des chaussettes me prend la matinée. Une prouesse. Il faudrait que je mesure le temps passé, au cours de la misérable existence qui est la mienne, à me tenir au propre. À maintenir, à un niveau acceptable pour autrui, « mon hygiène ». À résister à la fange qui menace de m'ensevelir. Par exemple, il m'est devenu quasi impossible de me laver le dos – manque de souplesse, caractère peu accommodant. Ou les pieds. Mes doigts se rétractent. Mes mains ressemblent aux palmes d'un cygne. Il ne me reste plus qu'à courber le cou et à prier pour ne pas sentir.

Seule solution à ma portée : que ça trempe. En attendant que l'eau – bénie soit-elle – fasse le travail. Que ça décrotte. Que ça déterge. Faut que ça trempe, jusqu'à érosion complète de la merde. Même après la baignade, mieux vaut ne pas trop s'approcher. S'abstenir de tâter la chair molle, les os creux, les flétrissures obscènes.

Seule attraction peut-être de ma vieille carcasse, la couture qui orne ma poitrine. Une balafre épaisse et interminable qui seule se tend au milieu des plis et des craquelures. Miracle de l'Épiphanie.

De cette Épiphanie de 1938, je ne me souviens que de détails. C'était à quelques pas d'ici. À la sortie du métro Denfert. La place avec son lion énorme, gris, musculeux, noble parmi les nobles du quartier du Petit-Montrouge. Le Lion de Belfort, c'est son nom de scène, regarde en direction du Nouveau Monde et de *Lady Liberty*. Il est allongé, la queue figée en plein mouvement. Il exhibe prétentieusement sa splendeur au-dessus des pauvres êtres qui arpentent la place. Le lion de Bartholdi, c'est cette fois le nom de son sculpteur. Un lion aux pattes puissantes qui hausse fièrement son poitrail. Flanc offert aux intempéries. Crinière évoquant la chevelure d'une danseuse de cabaret dans sa loge, une fois le spectacle achevé.

Ce jour d'Épiphanie donc, je décidai de poursuivre sur l'avenue d'Orléans. J'achevais les feuilles mortes, une par une, sur mon passage en prenant garde de ne pas glisser car l'air était humide. Rien de plus traître que les feuilles humides, j'en ai fait les frais bien des fois sur mon île où il pleut sans discontinuer. Dans mon île où la pluie est notre purgatoire.

Je recouvrais donc précautionneusement les feuilles mortes de mes pas et me croyais à Baggot Street. Il ne manquait plus que les voix éméchées pour y être. Les voix des chanteurs faisant vibrer les entrailles des passants, pendant que la boisson brûlait les leurs.

She died of a fever
And no one could save her
And that was the end of sweet Molly Malone
Now her ghost wheels her barrow
Through streets broad and narrow
Crying "cockles and mussels alive a-live O!"

Je faisais ma petite promenade – c'est là une de mes vieilles habitudes. Marcher entre chien et loup. En attendant que la nuit tombe pour boire. Alan et Belinda m'attendaient pour le dîner. Pour dîner à l'irlandaise : en buvant et en racontant des histoires. Alan récitait quelques vers de Yeats, c'était son habitude – il récitait du Yeats en roulant les « r » :

A sudden blow: the great wings beating still
Above the staggering girl, her thighs caressed
By the dark webs, her nape caught in his bill,
He holds her helpless breast upon his breast.

Il prononça mon nom pour que je récite la suite du poème. La suite de *Leda and the Swan*. On appelle ça le *noble call*, une torture dublinoise. On prononce un nom au hasard parmi l'assemblée des buveurs et la personne s'exécute. Impossible d'y échapper. Quand ça me tombe dessus, je plonge dans un embarras profond. Quand ça me tombe dessus, un malaise si intense s'empare de ma personne qu'il me rend incapable de remplir mon office, d'assumer la charge qui incombe au Dublinois que je suis. Mon problème est aggravé par la multiplication des séances de torture : les Irlandais, amateurs de chant et de poésie, sont particulièrement friands de la chose. Ils ne ratent pas une occasion, chacune ravivant mon trouble et le faisant inexorablement croître. Seul remède à ma connaissance : la boisson. Je bois, avant de réciter, au moment où je perçois, tel le condamné qui s'avance sur le bûcher, que le supplice est incontournable. Je bois, pour oublier mon malheur d'être au milieu de tous ces hommes qui rient. Je bois pour oublier l'homme que je suis. C'est irlandais, voilà tout.

Cette nuit d'Épiphanie était déjà bien avancée et les serveurs nous tendaient nos vestes pour que nous les enfilions. Ça sentait la fin. Il fallait rentrer – c'était là le plus pénible. Rentrer dans le froid de janvier. Passer devant l'église Saint-Pierre-de-Montrouge. Reprendre l'avenue d'Orléans jusqu'à l'impasse villa Cœur-de-Vey où vivaient les Duncan.

À peine la porte franchie, je m'entendis héler par un type, surgi comme un diable. Un bonhomme aux allures de maquereau. Fleurant le bordel. Un petit gars blond, rasé, mince, en blouse à moitié déboutonnée, qui me demanda de l'argent et me fit signe de le suivre. Je n'aime pas que l'on m'interpelle. Je veux dire, même quand il s'agit de quelque connaissance croisée dans la rue, je n'aime pas que l'on m'interpelle. Qu'on me siffle. Si cela m'arrive, je fais mine de ne pas entendre.

C'est dans le cas présent ce qui arriva. Comme je faisais peu de cas de lui et continuais de converser avec Alan et Belinda, il se mit en pétard. Son pas instable indiquait qu'il était nerveux et de loin le plus aviné de nous tous. Aussi quand il arriva près de moi réitéra-t-il sa demande désagréable en ces termes :

Ne sois pas rapiat, donne-moi quelques billets. Je te ferai une fleur, une fille gratuite.

Il me pompait l'air. Je lui proposai d'abord calmement, puis fermement, d'aller voir ailleurs. Il n'en fit rien. Continua à agiter les bras et à déverser son flot incessant. Je fis un pas en avant, en direction des Duncan que j'avais exhortés à continuer leur marche. Le couteau, qu'il avait figé dans son poing, suspendit mon élan. La lame ressortit dans un geyser de sang. Je tentai de crier et m'étalai sur le trottoir.

Plus rien. Noir. Dans les instants qui suivirent, tout se passa sans moi. Trimballé comme un mort baigné dans son jus.

RAPPORT DE POLICE

11 janvier 1938

Suite à une agression au couteau survenue dans la nuit du 6 au 7 janvier, au croisement de l'avenue d'Orléans et de la rue Rémy-Dumoncel, nous avons procédé ce matin, vers 11 heures, à l'arrestation du dénommé Prudent, Robert-Jules.

Des photographies ont permis aux témoins, Alan et Belinda Duncan, ainsi qu'à la victime, Samuel Barclay Beckett (citoyen irlandais, de 32 ans, écrivain, résidant depuis six semaines dans le quatorzième arrondissement de Paris, à l'hôtel Libéria, 9 rue de la Grande-Chaumière), de reconnaître l'agresseur de façon formelle.

L'individu a été appréhendé dans un hôtel au 155 avenue du Maine, où il se faisait appeler Germain Prudent. Mécanicien, 25 ans, il est déjà connu des services de police pour des faits de proxénétisme. Suite à son méfait, il a loué une chambre dans l'hôtel et s'y est barricadé – des proches venant, chaque jour, lui apporter de quoi se nourrir.

Emmené, ce matin même, au commissariat du Petit-Montrouge, il a avoué les faits.

**Inspecteurs Manonvillers,
Berthomet, Grimaldi
et Vaizolles**

Lorsque j'ouvris enfin les yeux, j'étais dans la salle commune. La cour des miracles. Y en avait partout : des malades, des lits, des malades entassés sur des lits. Alignés sur la longueur et la largeur et même au centre de la pièce. Des fracassés, des agonisants, des recroquevillés. Ça vagissait dans tous les coins. Des têtes bandées ne laissant apercevoir que des yeux, des nez et des bouches gémissantes. J'avais mal. Je tentai de me redresser sous les draps rêches. Impossible. Les malades beuglaient autour de moi. J'aurais voulu déguerpir. Échapper à la plèbe souffrante dont les cris augmentaient encore ma confusion. Je ne me souvenais pas. Pas du tout.

J'espérais qu'une sonnerie quelconque me sortirait de ce cauchemar. Je cherchais un indice qui pourrait m'indiquer, à coup sûr, que j'étais encore en vie. J'avais mal. C'en était un, j'étais en vie.

Au bout de la grande salle, une cape et un feutre noirs se mirent à danser autour des uniformes blancs. Une silhouette d'insecte qui vola dans ma direction.

— *So... You're awake?*

Ses mains remontèrent les lunettes rondes qui couvraient ses yeux. Incapable de rassembler mes pensées, je continuais à me taire. La douleur se mélangeait à ma colère d'être là, pris dans le malheur des autres qui assistaient au mien. Joyce s'assit sur le lit – le visage radieux, ses yeux souriaient tout autant que son étroite moustache, il avait l'air de s'amuser follement...

L'après-midi du même jour, lorsque le docteur Fontaine entra dans la salle où ça geignait, elle était en grande conversation avec l'homme de plume. Il avait troqué sa cape pour un manteau en peau qui, ouvert sur un gilet de costume, laissait entrevoir une chemise blanche et une fine cravate rayée jaune et noire. Il serrait sur son côté droit une petite lampe. Je les regardais de mon lit comme si j'étais au spectacle. Joyce avait ôté son chapeau qu'il tenait de sa main gauche ; sa chevelure volumineuse gominée en arrière formait un monticule gris qui surplombait son visage émacié. Je voyais qu'il l'aimait bien. Il faut dire qu'elle soignait depuis longtemps ses yeux malades. C'est ce qu'un écrivain a de plus cher, ses yeux. Hélas, il n'y avait rien à faire. Un jour, en désespoir de cause, elle lui a même proposé d'essayer les sangsues. Si bien que, lorsque je suis venu rendre visite au pauvre Shem (c'est ainsi que l'ingrat que j'étais aimait surnommer dans son dos l'homme de plume), les bestioles sautaient partout dans la chambre. Les sangsues sautaient, Shem hurlait, à quatre pattes sur le sol, son fils Giorgio tentait de les ramasser. C'était complètement dingue. Cette femme est une dingue. Aussi n'étais-je pas tout à fait rassuré de la voir se diriger vers moi. Ayant néanmoins conscience que je ne pouvais qu'accepter mon destin, je fis de mon mieux pour ne rien laisser paraître.

— Monsieur Joyce, j'ai trouvé une chambre à votre ami, mais ce sera entièrement à vos frais, dit-elle.

Ça alors. Joyce me salua d'un geste du menton. En silence. Il me montra la lampe et un manuscrit qu'il venait de sortir de sous son gilet. Pendant qu'on me transportait vers la solitude que j'avais tant désirée, je ne pensais plus qu'à une chose : m'y remettre.

SALLE D'ADMISSION DE L'HÔPITAL BROUSSAIS

Paris, le 21 janvier 1938

M. Samuel Barclay Beckett
32 ans
Taille : 1,82 m
Poids : 72 kg
De nationalité irlandaise

Le patient a été transporté en ambulance jusqu'à l'hôpital, la nuit du 7 janvier 1938, autour de 4 heures du matin, suite à un coup de couteau avec plaie de la plèvre ayant entraîné une perte de connaissance.

Il s'est réveillé spontanément le lendemain. N'étant pas en état d'être déplacé, le patient n'a pu faire de radiographie des poumons que le 17 janvier. Celle-ci confirme le diagnostic de saignement pleural qui devrait se résorber seul. La plèvre est en voie de cicatrisation. Les poumons sont intacts.

Le patient sera en mesure de sortir demain, 22 janvier, moyennant la prise d'antinévralgiques et du repos. Des consultations régulières sont prévues avec le Dr Fauvet ou moi-même à l'hôpital Broussais, avec radiographies de contrôle et poses de ventouses.

Dr Thérèse Fontaine,
médecin des hôpitaux de Paris

Au Tiers-Temps

4 août 1989

J'ai respecté les consignes à la lettre. Un écriteau bleu et jaune affiché dans ma salle de bains en donne les détails.

LES RÉSIDENTS SONT TENUS DE RESPECTER
LES RÈGLES ÉLÉMENTAIRES D'HYGIÈNE
ET DE PROPRETÉ CORPORELLE
COMPATIBLES AVEC LA VIE EN INSTITUTION.

LA DIRECTION SE RÉSERVE LE DROIT D'INTERVENIR
AUPRÈS DES PENSIONNAIRES EN CAS DE NÉCESSITÉ.

Jusqu'ici tout allait pour le mieux. La couleur saumâtre de mon bain témoignait de ma bonne volonté et de l'utilisation incontestable d'un savon. De petites taches blanchâtres flottaient encore à la surface de l'eau qui refroidissait. Pour sortir de la baignoire, c'était une autre affaire. Il fallait que je calcule par avance l'opération. Que je mesure les angles. Mon premier objectif consistait à atteindre, à l'autre bout de la baignoire, le fauteuil. Sur ce point, les indications sont sans équivoque : la sortie du bain passe par «un transfert en station assise sur le siège en plastique prévu à cet effet».

Grâce au savant système élaboré par ses fabricants, ledit fauteuil était suspendu au-dessus du bac. Formidable invention d'ingénieurs au service des croulants. Je me saisis donc de la poignée. Il y avait deux poignées : l'une fixée sur le mur, l'autre sur le rebord de la baignoire, toutes deux faisant partie intégrante du protocole de transfert décrit ci-dessus. Je me soulevai donc et atterris brusquement sur le fauteuil. Succès mitigé. Quoique arrivé à bon port, je dois dire que mon fondement avait accusé le coup. J'avais certes mal maîtrisé ma vitesse d'atterrissage, ou plutôt d'alunissage. Il me faut avouer, par la même occasion, que mon postérieur – en grande partie constitué d'os extraordinairement acérés – n'avait pas été d'une grande aide. Néanmoins, il me paraît essentiel de préciser que ledit fauteuil n'était pas confortable. Loin d'être une bergère, il était plutôt raide. Je dis cela, n'étant moi-même plus habitué à quoi que ce soit de raide ces jours-ci. Enfin, passons.

Une fois rendu sur le fauteuil – le fauteuil suspendu –, je ne me trouvais pas si mal. J'aimais être perché ainsi, mes jambes trempant encore dans le bouillon savonneux, qui me fournissait juste ce qu'il fallait de chaleur pour être à mon aise. Je restais, comme cela, un moment. Les mollets immergés. Les orteils flétris. Les pieds sur les rochers de Forty Foot. J'apercevais mon père qui plongeait du promontoire «réservé aux messieurs». Mon frère et moi prenions sa suite. L'excitation de la chute se noyait dans l'eau froide comme la mort. Nous nagions, maigres coucous. Les yeux rivés sur la baie. Ragaillardis par la mer d'Irlande. La mer froide.

Sandycove, Glenageary, Dún Laoghaire. Je ramassais de petits cailloux. Je les mettais dans mes poches. Je le faisais si souvent que mes poches se trouaient et que ma mère me grondait. Ma mère était froide. Je recommençais malgré tout. Je ne pouvais m'en empêcher. Je bourrais de petits cailloux lisses mes poches crevées. Ils glissaient inévitablement sous mon pantalon, le long de mes jambes. Tombaient sous moi ; comme si je les avais faits. J'en ramassais aussitôt de nouveaux. Des dizaines de cailloux, à m'en faire péter les poches. Je pensais qu'ils allaient combler les trous. Les cailloux se mettaient à pleuvoir sur l'herbe. Le tas de pierres formait une sépulture en format réduit. Un tombeau miniature. Celui de l'Irlande que je laissais à mes pieds. Au pied de la tour.

Il paraît qu'elle s'appelle Joyce aujourd'hui, la tour. La tour James Joyce.

Introibo ad altare Dei

C'est son commencement. Moi, j'étais mal parti – mes débuts laissent à désirer. C'est important de bien commencer. J'étais mal parti d'Irlande. D'ailleurs, j'ai été dans l'obligation d'y revenir. Plusieurs fois. À force de partir, je ne suis plus revenu.

Il fallait envisager une sortie. Même les meilleurs bains ont une fin. J'ajustais minutieusement la trajectoire de mes jambes et me débrouillais pour atteindre l'escabeau pour vieux, placé à mon intention devant la baignoire. On était loin des danseuses de Degas montant un escalier, leurs jambes légères effleurant à peine de leurs pointes le plancher qui les mène à la scène. On en était loin. Fichtrement loin.

*

Ce matin, un individu non identifié s'est introduit dans ma chambre. L'acolyte du type qui m'apprend d'habitude à tenir sur mes pattes. Il paraît que c'était prévu. Bon. À peine entré dans mon gourbi, le voici qui m'annonce la couleur :

— Monsieur Beckett, nous allons faire un petit test d'équilibre. Il crut bon de me rassurer en ajoutant : Ne vous inquiétez pas, c'est facile, il suffit de faire ce que je vous dis.

Première tuile. Oui, il se trouve que depuis mon enfance, chaque fois qu'on me demande de faire quelque chose d'une certaine manière, j'ai l'impression de m'y employer sur-le-champ, de respecter scrupuleusement la consigne, alors qu'en réalité il n'en est rien. Il se peut même que, par un hasard extraordinaire, je me mette à faire, sans même m'en rendre compte, l'exact inverse de ce qui m'a été demandé – ce qui, je le comprends, peut donner le sentiment que je me fous du monde. La plupart du temps, il n'en est rien. J'essaie de bien faire. Mais les gestes n'obéissent pas. Ils contrarient la bonne foi qui est la mienne. Me plongent dans des courants contraires et me laissent échouer dans un océan de contradictions. J'en ai souvent fait les frais dans mon enfance. Les oreilles m'en chauffent encore. J'en ai souvent fait les frais. Je n'y suis pour rien. Une sorte d'emmerdeur – *a pain in the neck*, comme on disait chez moi. Une écharde mal placée. Très mal placée. Je suis le premier à le déplorer, sans pouvoir y faire grand-chose. Aussi, conscient de ce défaut congénital, n'abordai-je pas le fameux test avec le même enthousiasme débordant que mon interlocuteur – enthousiasme que je reliais chez lui à une ignorance crasse des épreuves que nous réserve l'existence, qui nous laisse pourtant peu le loisir de nous enthousiasmer outre mesure. Passons.

L'enthousiaste était fort imposant, chevelu comme un yéti, poils dégueulant de la blouse à pression. De son larynx sortait une voix tonitruante qui articulait une langue dont je n'étais pas certain de saisir les nuances. Il prit le soin de sortir un grand carnet, au bout duquel pendait un stylo rouge transparent à mine rétractable, avant de prononcer la phrase énigmatique suivante :

— Allez, monsieur Beckett, test d'équilibre : échelle de Berg. Il crut bon de compléter par la formule que voici : *C'est parti mon kiki.*

N'ayant pas encore obtenu d'explications précises ni sur le *kiki* évoqué, ni sur les tenants et aboutissants exacts de la manœuvre qu'il me serait demandé d'accomplir, je décidai, dans un premier temps, de passer sur la familiarité de l'ours (peut-être était-ce lui, le *kiki* en question? Je commençais à le penser), considérant qu'il y avait, somme toute, une certaine cohérence entre l'esprit de la bête et son allure.

Nous n'en étions encore qu'au début des présentations lorsque l'animal revint à la charge, me suggérant tout un tas d'acrobaties auxquelles je me soumis avec la foi inébranlable d'un enfant de paroisse.

— Monsieur Beckett, veuillez vous lever en essayant de ne pas vous aider avec les mains s'il vous plaît.

Je fis un essai, avant de me rattraper de justesse. Nouvelle tentative. Nouvel échec. Pas mieux.

— Attendez, je coche : peut se lever seul, mais avec l'aide de ses mains. On continue, c'est reparti.

Dieu nous préserva d'une autre rime.

— Maintenant, essayez de rester debout deux minutes sans appui. Vous lâchez les mains... Voilà. Mais c'est pas mal du tout, ça, monsieur Beckett ! On va faire la même chose les yeux fermés.

L'animal me prenait-il pour une nymphette fraîchement inscrite à son cours de gymnastique ? Les bras m'en tombaient – ce n'était évidemment pas le moment. Pas le moment du tout. Ils allaient justement devoir entrer, eux aussi, dans la danse macabre à laquelle je m'adonnais sur ordre de mon tortionnaire.

— Levez les bras à quatre-vingt-dix degrés. Étendez les doigts et allez le plus loin possible vers l'avant. Attention à vos appuis, monsieur Beckett, prenez garde à la chute.

Je suis de ceux qui tombent, pensais-je. De ceux qui dégringolent, qui roulent sous les meubles, qui glissent sur les flancs des collines. Je chéris la chute. Tiens, allitération. J'ai toujours chéri les chutes. À Foxrock, je me laissais tomber du haut des cimes, attendant que les bras accueillants du grand sapin – ultime filet – me retiennent in extremis. Avant la chute, j'entendais tout là-haut le vent, les aiguilles qui frissonnaient. Je me balançais avec eux, de plus en plus fort dans les airs, oiseau sans plumes, jusqu'à ce que mon élan m'emporte. Je tombais et tombais encore. Je ressuscitais toujours. M'assommais et recommençais. Mille fins dont je ressortais indemne. Inapte à mourir, en quelque sorte.

Lorsque l'olibrius m'indiqua la dernière consigne, sa voix se mêla aux frottements des branches que mon ascension venait d'agiter. Sur le grand arbre, Kerrymount Avenue et Cooldrinagh s'offraient encore une fois à ma vue et à mon vertige. Je suis de ceux qui tombent, me dis-je. J'emplis mes poumons et cédai au plaisir le plus grand qu'il m'avait été donné de connaître. Des bras accueillants me retinrent encore. Inapte à mourir. Mauvaise chute. Pas encore la fin.

*

Hier, alors que l'heure attendue de la promenade était arrivée et que je m'apprêtais à enfiler ma veste, je me fis gronder – retour à l'enfance – par une dénommée « Jacqueline » (à moins que ce ne soit Catherine, j'ai tendance à confondre ces deux prénoms). Toujours est-il que la dame, et c'était là le point de départ de mon procès, m'accusait d'avoir entassé les biscottes de mon petit déjeuner dans les poches de mon pantalon. Manie détestable. Non content de ne pas me nourrir suffisamment et de participer à un gaspillage « scandaleux », me dit-elle, la présence de biscottes dans mes poches avait engendré toute une série de tracas dont je ne semblais pas mesurer les conséquences et sur lesquels il convenait de m'informer en détail.

Le règlement prévoyant que « le linge personnel est

lavé et repassé au sein de l'établissement», mon pantalon chargé de biscottes avait atterri, sans être fouillé par avance (faute de temps, me dit-elle, «imaginez-vous si nous devions faire cela pour tout le monde», etc., etc.) au milieu du linge des autres. Mon pantalon avait ainsi souillé de miettes les loques de mes semblables et aurait, sans aucun doute, détérioré la machine à laver du Tiers-Temps, pour ainsi dire neuve – puisque acquise il y a seulement quelques mois –, si l'agent d'entretien n'avait par la suite procédé à un décrassage des filtres. La chose était impardonnable et ne devait pas se reproduire.

Ayant réalisé l'ampleur de la faute dont je m'étais rendu coupable sans même m'en rendre compte et jugeant qu'il me serait impossible de m'en sortir autrement, j'étais résolu à prononcer mes plus plates excuses. Hélas, je n'en eus pas le temps. Visiblement heureuse d'en découdre, la procureure était lancée. Elle me fit remarquer – au cas où il me prendrait l'envie de remettre en cause ses accusations – que le linge personnel étant soigneusement marqué au nom des résidents (article 12.2 du règlement intérieur, extrait du chapitre «Linge et fournitures diverses»), elle détenait donc, pour preuve irréfutable de mon délit, le pantalon étiqueté «SB».

C'en était trop. Trop de propos ineptes. Je décidai d'en rester là. Mes jambes ne me permettant plus de fuir en cas de danger ou de désagrément immédiat, j'ai été contraint, il y a de cela plusieurs mois, de mettre au point le subterfuge suivant. En cas d'enquiquinement, la seule véritable arme du vieux est de mourir ou de procéder à une riposte passive. En ce qui me concerne, étant hélas dans l'incapacité de commander la première, je me saisis de mon oxygène, m'allonge sur mon lit, feins la grande fatigue et ferme les yeux. Effet immédiat. L'assaillant se voit contraint de baisser d'un ton, en particulier s'il fait partie du personnel et, dans le cas de figure le plus favorable, finit par la boucler tout à fait. C'est ce qui se produisit. Le dragon enveloppé de sa blouse vert pomme acheva tout juste sa phrase et sortit. Je mis la main à ma poche et sentis des miettes dans le pantalon du jour. C'est comme ça. Je partage mon petit déjeuner avec les pigeons ou avec n'importe quel oiseau qui passe. Est-ce si répréhensible ? À Greystones, je lançais des miettes par la fenêtre de la cuisine. La maison était sur le trajet du cimetière de Bray Head, je voyais passer les corbeaux freux, leur bec droit piquant vers le nord. Je lançais des miettes, il n'y avait guère que les silhouettes rondes des grives musiciennes pour oser s'approcher. Dans le salon, on entendait pour musique la friture de la TSF. Un jour, elle fit grésiller la guerre à nos oreilles. Aux oreilles de ma mère, aux miennes. Chamberlain annonçait la guerre dans le salon.

> *We and France are today, in fulfilment of our obligations, going to the aid of Poland, who is so bravely resisting this wicked and unprovoked attack on her people.*

May regardait vers le cimetière de Bray Head, alors que je me préparais à partir. À foncer tête baissée, le bec pointant tout droit vers le continent. À foncer tout droit, comme à mon habitude, vers les emmerdes.

*

De manière générale, lorsque je m'apprêtais à partir, il y avait toujours un événement – sorte de main invisible – qui semblait me retenir. Longtemps je crus que c'était ma mère. La main sèche et froide de May qui orchestrait les choses en silence, de sorte que tout un tas d'obstacles venaient faire barrage à mon départ. Ce jour-là, ma mère se cachait sous les traits d'un fonctionnaire de Newhaven où je venais de débarquer dans l'idée de rejoindre la France. Je la reconnaissais sous la casquette de l'agent m'interdisant de partir, de me mettre au service du pays dont j'avais adopté, plus que quiconque, les habitudes – bonnes et mauvaises –, jusqu'à la langue. *Jusqu'à la langue*, lui dis-je. Il ne voulut rien entendre.

— Vos papiers ? me dit-il.

Je n'avais pas l'autorisation de sortie du territoire que les autres passagers brandissaient tour à tour ; il n'entendrait rien. Apercevant la mention « Irlandais » sur mes papiers, le rond-de-cuir se sentit soudain inspiré. S'ensuivit une conversation de haute tenue sur le whiskey, le trèfle et la Trinité. Je subis aussi sereinement que possible le supplice qui m'était imposé. Il faut dire que les taiseux dont je suis ont, en général, une propension incroyable à se trouver face à des individus dont l'art a ceci de particulier qu'il consiste à dire très peu avec un nombre incalculable de mots. J'attendais la délivrance, une issue, n'importe laquelle. Quoique plus que réservé sur la question, j'évoquai même l'hypothèse d'un miracle, tant je pensais ma situation mal engagée. Celui-ci se produisit – Dieu sait pourquoi. Le tampon s'abattit. Jamais on ne vit homme plus heureux que moi de rejoindre un pays en guerre.

— Monsieur Beckett, si vous souhaitez sortir, c'est maintenant, après ce sera l'heure du déjeuner.

La porte s'était entrouverte. Pas de dragon en vue, la voie était libre. «J'y cours», pensais-je en prenant péniblement appui sur la table. Puis je filais, les mains sur mes poches gonflées. Gonflées de biscottes.

*

De retour de ma petite virée (l'hyperbole !), une note dactylographiée m'attendait sur la table. Adressée à nous autres «résidents» – le bien grand mot. Pourquoi pas «vieilles choses qui arpentent les couloirs, s'accrochant aux murs, et usent de leurs cannes le lino. Rois du déambulateur. Apôtres du fauteuil. Phénix du râtelier» ? Je ne sais pas, un peu de fantaisie, que diable ! De vocabulaire. Toujours est-il que la grande prêtresse du Tiers-Temps – charmante au demeurant et qui aime Schubert, paraît-il – s'adressait aux résidents que nous sommes, à propos d'une histoire de téléviseurs. Sa prose commençait ainsi :

> «Les résidents peuvent apporter leurs postes de télévision et de radio personnels, cependant, l'intensité du son devra être réglée de façon à ne générer aucune gêne pour les autres résidents.»

Jusqu'ici rien à redire. Si j'ai quelques réserves à l'égard de la douairière enchignonnée qui me sert de voisine – conversations tenues à très haute voix avec elle-même et tendance à s'agiter tôt le matin –, je remercie le ciel de ne pas subir, de surcroît, la rumeur du poste. La colonie des porteurs de sonotone est, il faut bien le reconnaître, suivie de près par «le personnel» et régulièrement encouragée à se déplacer dans la salle commune, pour regarder leurs programmes en toute convivialité. Ce qui me convient à ravir.

Ne possédant pas de télévision dans mon antre, je passe rapidement sur le petit paragraphe consacré «à l'entretien et au contrôle des appareils pour pallier le risque d'accident (feu, implosion)». Ainsi que sur les frais de raccordement et autres réjouissances.

Tiens, je vois qu'un *nota bene* a été ajouté en bas de page. Inhabituel.

> «À l'occasion du Tournoi des V Nations de rugby retransmis actuellement sur les écrans, l'établissement met à disposition des résidents qui le souhaitent des téléviseurs portatifs en noir et blanc – en échange d'une caution. Ils pourront conserver l'appareil dans leur chambre, le temps du programme, et devront le restituer ensuite à l'accueil. En vous remerciant. Bien cordialement. La direction.»

Jesus! Et moi qui clame encore mon athéisme!

⋆

[Poste de télévision]

«Oh ça va aller au bout! Et l'essai de Serge Blanco entre les poteaux! Extraordinaire! Les Français qui reviennent complètement dans le match! En quelques minutes! Un essai du bout du monde une nouvelle fois! Avec une relève de Franck Mesnel dans ses vingt-deux mètres, qui finit dans les mains de Serge Blanco comme par miracle! Et troisième essai pour

les Français dans ce match ! Quel essai de l'équipe de France ! On aura eu une quinzaine de passes sur cette action et au bout de l'action Serge Blanco, tout un symbole. Il vient de marquer son vingt-quatrième essai du tournoi. Ça veut dire qu'il devient le meilleur marqueur de l'équipe de France all time !

On revoit la relance de Franck Mesnel et le relais des avants. Portolan, très important sur cette action, comme vous le voyez, il est sur la ligne médiane. La relance de Blanco, Carminati, Lafond qui évite un plaquage ; il retrouve Blanco, Rodriguez... Et regardez qui est là ! Portolan encore, cinquante mètres plus loin, et les Irlandais sont hors de position... Attention, le cochon est dans le maïs !

Et ballon pour les Irlandais. Aherne qui maîtrise mal cette balle, récupérée par Berbizier c'est bien ! Avec Carminati, qui a le soutien d'Ondarts ; Ondarts qui charge. Il s'est bien retourné, ballon qui sort pour Berbizier, Berbizier pour Mesnel, un ballon qui va aller jusqu'à Blanco, Blanco pour Lagisquet... Oh la la les cannes de Lagisquet ! Est-ce qu'il va aller au bout ? Oui ! Un autre essai pour l'équipe de France ! Et l'équipe de France qui passe devant au score. Quel retournement de situation !

La transformation de Jean-Baptiste Lafond qui passe en plus ! Deux points supplémentaires ! Et la France qui mène vingt-six contre vingt et un pour l'Irlande, alors qu'il ne reste que sept minutes à jouer dans cette rencontre. C'est quand même extraordinaire, alors qu'il y avait quinze à zéro ! Il y a même eu vingt et un à sept. Quelle remontée ! Et c'est fini ! J'ai du mal à y croire !»

Jésus-Christ sur sa bicyclette ! Moi aussi, j'ai du mal à y croire. Crétins de trèfles ! Bons qu'à ramasser des patates. Le cochon est dans le maïs ! Ah ! il les a bien égalisés. Champ tondu jusqu'à la racine. On se prépare à une bonne famine. Ils n'en sont pas à leur première. Tous des descendants de claque-faim, de rescapés de la pomme de terre. Comment n'ont-ils pas senti le vent du boulet?

Bon Dieu, si j'avais encore des jambes. Je n'étais pas mauvais coureur, jadis, lorsque j'en avais. Je trottais comme un lapin, de mes maigres guiboles élastiques. Numéro douze ou treize. Toujours au centre. Prêt à jouer des pieds et des mains. Déviant sur les bords – connu pour être déviant. Les genoux vers le ciel, les yeux sur la pelouse, préparant mon plongeon, lorgnant sur les bons mollets à chasser, à piéger. À plaquer contre terre, à étendre de tout son long. Jusqu'à ce que le pilier s'écroule, que les mains s'ouvrent, impuissantes, et laissent échapper l'ovale.

Tchic tchac, à gauche, à droite. J'évitais le suivant et me remettais à bondir. À foncer dans le brouillard, jusqu'à ce qu'une ombre freine ma course folle, agrippe ma taille et me fasse mordre l'herbe rase. Enfoui sous la masse du colosse, je priais pour que la partie se finisse. Pour que l'on sonne la fin. Puis je m'écroulais dans les pâquerettes, jurant que c'était la dernière. Elles ressemblaient toutes à la dernière, hélas, ce n'était jamais elle.

Au Tiers-Temps

5 août 1989

Tout à l'heure, l'infirmière Nadja (quel nom !), avec ses beaux *yeux de fougère*, est venue toquer à ma porte. Elle s'inquiétait pour moi, rapport à ma façon de me nourrir. Ou plutôt de ne pas me nourrir.

Maigre comme un clou, me dit-elle. *Rien de neuf*, lui dis-je. *Skinny as a rail*, disait ma mère. Aussi maigre qu'un chemin de fer, qu'une brindille, qu'un bâton de macaroni, qu'une tige, qu'une latte de lit de pensionnat. *Un squelette !* s'écriait May lorsque j'enfilais les culottes courtes qui montraient mes échasses et mes genoux cagneux. Un bonhomme en deux dimensions, aussi fin que du papier à cigarettes.

Nadja ne se laissa pas démonter par ma réponse. Il en fallait plus pour l'impressionner. Je ne sais pas combien exactement, mais il en fallait plus. Elle fixa ses yeux de fougère dans mes lunettes et m'annonça, comme si l'événement était d'une importance considérable, qu'elle avait *proposé au médecin de faire un point sur mon alimentation*. Et qu'elle souhaitait *m'en faire le compte rendu* afin que je ne fusse pas *surpris de la nouvelle teneur des menus qui m'étaient destinés*. La belle lecture.

De ce point de vue, je n'ai jamais compris les habitudes d'ici-bas, considérant que le temps en plus, consacré au dîner, était en réalité un temps en moins passé à boire. Équation pleinement irlandaise, j'en conviens. La boustifaille n'est pas ma favorite parmi les nourritures terrestres, d'autres chairs m'ont été plus chères. C'est comme ça.

Nadja débuta l'exposé par quelques précautions oratoires, me certifiant que *personne ici ne mettait en doute, bien sûr, ma capacité à me nourrir de manière autonome.* Elle appuya exagérément sur « capacité », comme s'il s'agissait d'une prouesse, pour un vieux dadais comme moi, que de becqueter seul. Elle insista sur la « *propreté* » avec laquelle je mangeais, la dextérité dans le maniement de la fourchette. Elle poursuivit ainsi un moment, alors que je me penchais sur cette question : comment en suis-je arrivé là ? Comment l'existence m'a-t-elle mené, de manière si fourbe, à devenir l'un de ses charlots ? L'un de mes charlots. L'un de mes délires. L'un de mes cauchemars. Samy-clochard, tête penchée dans la soupe, peu de dents. Le Lucky de Pozzo, n'attendant plus grand-chose. Je me penchais pendant que la belle continuait de plus belle. Lorsque j'eus péniblement raccroché les wagons, les commentaires avaient changé de ton.

— Monsieur Beckett, l'équipe a constaté que, depuis quelques jours, vos tremblements vous empêchaient de couper votre viande, d'ouvrir vos pots de yaourt ou d'éplucher vos fruits. Et que vous laissiez ces aliments sur votre plateau, peut-être par peur d'en mettre à côté.

Comme je ne répliquais pas, elle reprit, imperturbable :

— Le docteur a proposé que l'on adapte vos repas et que l'on reprenne, en parallèle, les compléments nutritifs par injection.

Voici vos menus de demain :

Repas de midi : Potage de légumes enrichi liquide – Fromage râpé – Œufs brouillés mixés avec du lait – Crème vanille enrichie (supplément nutritif oral).

Repas du soir : Potage de céréales + poudre de protéines – Purée de légumes et pommes de terre liquides (lait + beurre) – Compote de fruits + fromage blanc.

Jamais le ciel ne me parut si bas. La vie aussi étroite qu'un gosier. Je regardais Nadja et pensais à l'autre qui avait *vu s'ouvrir le matin sur un monde où les battements d'ailes de l'espoir immense se distinguent à peine des autres bruits qui sont de la terreur.* La terreur était celle que m'inspirait la litanie que je venais de souffrir. La terreur avait de beaux yeux de fougère, elle bourdonnait à mes oreilles.

*

Après le déjeuner, j'ai jeté un coup d'œil au carnet qui pend au bout de mon lit. Moment de lecture réjouissant. Monsieur Beckett a bien fini sa gamelle, il a fait sa promenade, on lui a changé sa sciure – des histoires dignes de la *Comtesse Caca*. La vie du bipède consignée sur un grand cahier vert glissé dans une pochette en plastique. Nous y voilà. Victor de l'Aveyron vieilli, scruté par la longue-vue du docteur Itard.

Certains passages valent leur pesant de cacahuètes :

« le débit » de l'aérosol et celui de la soupe forestière. À retenir. On n'est pas loin de la poubelle. On y est tout à fait.

Feuille de présentation sommaire. Mauvais commencement. Manque de style. On aurait pu enfoncer le clou. Préciser que le mâle, âgé, est de provenance irlandaise, qu'il est doté de poils épais noirs et blancs. Quoi d'autre ? L'animal est solitaire mais peu agressif. Il souhaite par-dessus tout ne pas être dérangé.

Pour le reste, rien à dire. La bête est examinée sous toutes les coutures : vitesse de déplacement, adaptation à l'habitat. Incomparable souci du détail. Évaluation des restes. Résultats peu glorieux : souffle médiocre, capacités de génuflexion très en dessous de ce que l'on pourrait attendre d'un individu élevé dans la foi – fût-elle protestante ; mou comme une chique. Toujours les mêmes questions, toujours les mêmes réponses, répertoriées avec minutie – archives officielles du grand âge.

Rien sur la trombine du vieillard. Il y a pourtant de quoi dire : rides interminables, cou de poulet, pas une dent d'origine. Un Goya, la peau sur le squelette dans un décor obscur, de gris et de vert. Le vieux est devant sa soupe. Sa main cachectique soulève péniblement la cuiller, sa bouche est fermée par un rictus. Il répète les gestes du repas : la cuiller, la soupe. Ses yeux jaunis contemplent l'ombre de la mort qui l'appelle. La soupe est servie, il ne la gobe pas. Il attend de se sentir mieux.

Les feuilles roses, je les connais. Ce sont les « fiches de déplacement ». Comment je vais, comment je viens. Où et qui m'accompagne. Mis à part quelques tours de pâtés dans les environs, j'ai besoin qu'on me traîne, qu'on me remorque. D'ailleurs, comme le stipule le formulaire, j'ai rejoint le saint-hospice en ambulance. Toujours dans l'ambulance. C'est une maladie. Quoi que j'entreprenne, je finis inévitablement dans l'ambulance. Autrefois à l'avant, maintenant à l'arrière.

Jadis, je traversais Paris à tombeau ouvert, pendant que les blessés se roulaient dans leur couverture. C'était la guerre, il fallait conduire les éclopés, les mutilés, les subclaquants. J'ai roulé jusqu'à la déroute. Jusqu'à la débâcle. Jusqu'à ce que les bottes claquent et fendent le sol. Jusqu'à ce qu'ils aient mis le grappin sur tout. Jusqu'à la nuit. Résistants, nous avons alors roulé l'ennemi – agents P1 au service de Gloria et de Sa Majesté. Nous avons roulé des messages dans des boîtes d'allumettes. Nous avons roulé pour les Anglais.

Un jour, nous nous sommes fait rouler en retour. Il a fallu courir. Le traître s'appelait Robert. Robert Alesch, traître-prêtre. Grand pécheur. Il roulait pour des sous et prêchait pour pas un rond. Les amis sont tombés. Je suis parti. En me cachant.

Au Tiers-Temps

6 août 1989

Des lettres de Lucia sont tombées des étagères. Elles étaient coincées entre Wilde et Joyce, entre Kafka et Yeats. Gribouillis jaunis, papier flétri, datés de l'époque où Lucia écrivait derrière les portes infranchissables. Entre deux piqûres. Entre deux séances. Entre deux exils. Nyon, Küsnacht, Ivry, Pornichet, Burghölzli… D'asile en asile, Lucia a fait le tour du purgatoire. Éternelle captive.

Toutes les semaines, je me rendais à la gare en briques roses et merlons blancs de l'Orléans-Ceinture. Je prenais le train de 13h44 et arrivais, une heure plus tard, à Ivry. Lucia s'enfonçait lentement. Le cloître pour tombeau. Peu à peu, les langues se sont liées. Les mots l'ont quittée. Tout le monde l'a quittée. Pourtant, elle entendait des voix qui lui parlaient, me disait-elle. Je lui parlais aussi. Elle ne répondait pas. Qu'entendait-elle parmi les cris étouffés, camisoles de silence ? Je ne sais pas. Ils l'ont tous quittée. Elle les a sentis partir. Elle s'est sentie partir. Lucia perdue dans le désert. Il ne restait que deux âmes pour franchir encore les portes : celle de son père et la mienne. Son Babbo de Joyce et Sam. Le 13 janvier 1941, son père est mort – plus de Babbo, plus de Joyce. C'était la guerre. Mort au milieu des morts. Un de plus. Lucia a lu dans le journal qu'il nous avait quittés. Qu'il l'avait quittée. Elle s'est enfouie un peu plus. Enfouie dans le silence.

Les lettres de Lucia sont ressorties, elles sont tombées de l'étagère. Elles reposaient entre les couvertures des livres. Entre Joyce et Wilde.

The wild bee reels from bough to bough
With his furry coat and his gauzy wing.
Now in a lily-cup, and now
Setting a jacinth bell a-swing,
In his wandering;

Ils sont tous partis. Suzanne. Wilde, Joyce, Lucia. Ils sont tous partis. Il faut sans cesse me le rappeler.

DEUXIÈME TEMPS

Au Tiers-Temps

9 août 1989

Encore la dingo mitoyenne qui miaule. Elle chante chaque matin, au moment de la toilette – c'est récurant. À croire que le robinet ouvre aussi son gosier et tire sur la corde. Deux tours à droite et ça part : chants de jeunesse, chants d'automne, shampooing. Au gré de la température de l'arrosage, la vieille s'emballe : plus c'est chaud, plus c'est haut et inversement proportionnel à l'intensité de la voix indexée sur le taux d'humidité de la pièce. Là perchée, la vieille bique varie amplitude et répertoire : alternance de chants gais et d'airs tristes. Ça fuit, ça dégouline, ça s'enfonce comme les bottes dans la vase, ça traverse la cloison, ravive les amertumes. Jusqu'à ce que la bonde se lève, que se tarisse le refrain de la sirène, commémorant sa déchéance au milieu de ses semblables. Que le silence se remette à bramer. Le silence bruyant de la vieillesse dans sa dernière demeure. Après la guerre, May était collée à sa fenêtre. Elle ne chantait pas – elle n'a jamais chanté ou si peu, peut-être durant l'office, ouvrant la bouche comme si, la refermant aussitôt. Postée derrière sa fenêtre, elle ne chantait pas, elle ne faisait rien, elle se laissait trembler en regardant les montagnes. Des yeux grands comme des soucoupes, comme les sous-tasses qu'elle faisait trembler dans ses mains, contre lesquelles tintait, malgré elle, la cuiller du thé. Les yeux bleus de ma mère dévoraient le dehors. Elle les nourrissait par la fenêtre de Foxrock. Elle les nourrissait de scènes de passage. Des allers et des retours. Ça défilait devant la fenêtre de la bicoque toute neuve. La bicoque bâtie pour ses vieux jours. Orientée est, face aux souvenirs. Toujours sur la route. *Prison de la mémoire*, disait-elle. Comme le vent agite les branches mortes, prêtes à tomber, celles qui, légères, se posent sur les vivantes dans l'espoir qu'elles les retiennent, les mains tremblantes de ma mère se posaient sur le carreau, espérant qu'il les fige. Sans succès. La poigne de fer était désormais si branlante que le château du crépuscule branlait à son tour. Le vent de la guerre qui n'avait pas eu lieu chez elle avait soufflé malgré tout, charriant sur le dos des survivants son lot de malheurs incurables. Ma mère n'avait plus d'âge. Elle était vieille comme ses robes, comme le monde. Une pomme desséchée. Elle faisait sentinelle, et tremblait une ultime fois avant de se pétrifier devant sa lucarne. Le sourire absent, le murmure inaudible, attendant la fin.

Il y avait du bon. Il y en avait plus qu'avant. May devenue serpent sans venin, chèvre sans cornes, héroïne déchue. Méconnaissable.

Un jour, je me rendis dans la chambre de ma mère. Sa chambre insignifiante aux meubles de bois troués jadis par les vrillettes. Comment la décrire ? Peut-être en commençant par le fond et la table réservée à la toilette, recouverte d'un faux marbre blanc, sur lequel trônait une cuvette en étain. Laquelle cuvette s'emboîtait dans un vase. Vieux rites. Lavage et pissage parfaitement emboîtés. Et dans l'air, les effluves empestés d'un corps qui se disloque, qui se déglingue, qui se perd dans ses propres pets, sous le regard amusé des fleurs qui tapissaient le mur. Un mur le long duquel courait un lit dont la taille témoignait de la chasteté qui était désormais la sienne. La solitude de la veuve, en couple avec la mort. Dans son lit de cuivre, vert-de-gris obtenu par contamination mutuelle, oxydation de la couche par son antique propriétaire. Rien d'autre à signaler, si ce n'est la noirceur qui se dégageait de l'antre. De l'antre de ma mère, de son sein. La noirceur de May qui avait abreuvé la mienne, qui avait semé les *fleurs maladives*. Allaité jusqu'à la dernière goutte de bile, je me suis longtemps allongé sur son lit de tristesse. Longtemps, j'ai cru devoir lutter contre les démons qui dévoraient ma rate. Faire taire les voix mélancoliques qui murmuraient à mon oreille. Mais ce jeudi – je crois bien que c'était un jeudi –, dans la chambre de ma mère, la vision fut tout autre. Pour la première fois, mes yeux accommodés à la noirceur, la noirceur de May et la mienne – la noirceur de May devenue mienne –, s'ouvrirent sur des mondes ensevelis. La vision était claire. Une scène originelle, primitive comme une fenêtre ouverte sur un paysage nu, xérique, une route de campagne à la nuit tombée n'accordant pour issue que la promesse d'une aventure incertaine et périlleuse, à laquelle je m'étais jusqu'ici dérobé. Croque-mort, il ne me restait plus qu'à creuser jusqu'à ce que ça s'infiltre. À gratter jusqu'à toucher le fond. À pénétrer l'obscurité, longer le tunnel. À découvrir les carcasses prisonnières et agiter la poussière des songes. Débordant du feu des limbes, je me tenais au bord du précipice, tout au bord. Exalté par le vertige, le fond s'offrait comme le meilleur des remèdes. Mon meilleur. Comme les ombres du matin capturent à la fois l'obscurité de la nuit et la lumière naissante, je me tenais cavalier solitaire sur ma monture, ivre de joie et de tristesse. Prêt à repartir. À échouer sur les terres arides et désertées des survivants. À m'enfouir dans le sable tête la première jusqu'à la croupe, et à creuser le sol de ma bouche. Avec une langue qui n'était pas la mienne.

Au Tiers-Temps

11 août 1989

Réveillé, ce matin, par mon amie la carie. *Good morning Carry. Vieille pourriture.* Troisième molaire au fond à droite. Fatigué jusqu'aux dents de derrière, le vieux Sam. Édenté comme un coq. Plus français que jamais.

Vieille douleur – jamais tranquille. Douleur qui se rappelle à mon souvenir. Souvenir lancinant. C'était après la guerre. Ce n'était pas la panacée. La faim faisait encore mal aux dents. Manque de mastication. Chômage technique. Les dents aussi étaient plombées. Elles reprenaient lentement le travail, *scrontch*, *scrooge*, autour de la table familiale. Là-bas, il y avait de quoi. Tourtes à la viande et à la bière, galettes de pommes de terre, ragoûts à l'irlandaise.

Autour de la table aussi, il y avait de quoi. Je veux dire : il y avait du monde. C'était le temps des retrouvailles. MacGreevy, Jack et Cottie – les camarades n'avaient pas changé. Moi, j'étais un peu moins Sam : blanchi, maigri, mal aux dents. Alors qu'eux, les camarades, étaient toujours eux-mêmes. En tout cas, plus que moi. Jack était toujours le frère de Yeats, il était dans l'atelier. Il était en train de peindre. Une large toile verte et bleu électrique. Une légende celtique. Sur la toile, Jack a peint Diarmaid, souverain des Enfers, souverain électrique. Diarmaid enfui avec Gráinne, fiancée de Finn. Sur la toile, Finn retrouve Diarmaid et Gráinne. Diarmaid va mourir. Juste avant, étendu au sol, il attend la dernière poignée d'eau que lui accorde Finn. Celle que Jack a voulu peindre. Espoir suspendu. Soif. Fin. Le Diarmaid de Jack a le visage bleu. Il regarde l'eau et son espoir s'écouler des mains de Finn. La fin est en vue. Elle est bleue.

Sur le bateau, le bleu de la fin m'a suivi. Le bleu du tableau de Jack. Arrivé à Saint-Lô – capitale des ruines –, la mort était encore là, douleur lancinante. Maudite dent. Je conduisais dans les ruines et dans la boue. Des ambulances et des camions à croix rouge. Nous portions la croix pour ceux qui n'avaient plus rien à porter. Les effondrés, les affaissés, les malades à moitié nus empêtrés dans les décombres. La boue infernale de la terre les avalait. Je conduisais, à toute berzingue, vers Dieppe ou Cherbourg – les infirmières avaient peur de l'accident. Pourtant, je n'en avais pas. À Saint-Lô, je n'en ai jamais eu. J'étais presque seul sur les routes. Je conduisais si vite qu'elles s'accrochaient à la poignée de maintien – la poignée anti-chauffard –, ce qu'elles croyaient être la dernière poignée. Elles se cramponnaient et fermaient les yeux jusqu'à l'arrivée. Moi, je fonçais pour ne pas apercevoir le décor à travers le pare-brise sale. Le spectacle des gravats, des cendres et des ruines. Rien de pire que les cendres – poussière redevenue poussière, le cycle infernal. Des scories de civilisation engloutie flottaient en surface de la mare noirâtre. Effets personnels, seules touches de couleur : gilets bleus de travail, bottillons bruns, chaises de paille éventrées. La pierre était fendue. Royaume des lézardes. Saint-Lô détruite. À quatre-vingt-quinze pour cent.

Je sentais mes yeux se fendre, derrière les culs-de-bouteille. Ils s'ouvraient pour la première fois sur un chaos que je ne connais qu'en moi-même. La misère se tenait là, bien plus grande que la mienne. Un fatras de misères entrelacées, fondues dans le sol de Saint-Lô. Les ruines de la guerre – débris du Débarquement, de la bataille de juillet. Saint-Lô avait reçu généreusement les bombes. Elle avait pris, sur son dos, la misère tout entière. D'abord la gare, puis la centrale électrique. Saint-Lô sous un feu d'artifice. Théâtre de la torpille et de la reconquête.

À notre arrivée – souvenir effroyable –, des volatiles de malheur planaient au-dessus des suppliciés claudicants que les rues de Saint-Lô vomissaient par centaines. Des presque-morts, victimes inachevées, des presque-plus-rien qui cherchaient à se couvrir et que plus rien ne protégeait. Pas même l'église décapitée. Pas même les arbres calcinés. Pas même les quelques bâtisses rescapées, suspendues au souffle du vent. Il ne restait rien. Que le crachin intarissable des larmes que le ciel d'été abattait sur la ville. Abattait sur Saint-Lô.

Nous autres, samaritains irlandais, avions débarqué à notre tour un jour d'août 1945 pour y bâtir un hôpital – infirmières, ambulanciers, médecins sans remèdes. Bandant les plaies en y versant de l'huile et du vin. Les samaritains irlandais versent toujours du vin. Sur les autres et sur eux-mêmes. C'est comme ça. Le vin coulait la nuit, à l'heure où les baraques de bois qui nous servaient d'hôpital dormaient. Où les malades dormaient. L'une des baraques était tapissée d'aluminium – salle d'opération de fortune du docteur McKee. Salle des miracles. Dans les couloirs, le docteur Arthur Darley – dit A. D. – sortait alors son violon. A. D. est né dans un violon – celui de son père a fait cent fois le tour du monde, à la force de ses doigts. A. D. réchauffait les baraques de violon et de calva. Nous buvions le calva que des hordes de malades lui donnaient en offrande à chaque miracle. A. D. humble sauveur, médecin des pauvres le jour, rattrapait la nuit par l'ivresse. Aussitôt la lune sortie, les vieux démons d'A. D. prenaient corps. Prenaient le corps des catins, commuaient la misère en jouissance. A. D. exultait jusqu'à l'aube. Jusqu'à l'aube, A. D. était un autre. Au matin, il était à nouveau *Doctor Darley*. Il retrouvait contrit *La vie des saints* et ses patients. A. D. n'était pas le seul au bordel, nous y étions tous. À Saint-Lô, c'était le bordel qui nous faisait tenir. Le fruit défendu que nous pouvions mordre.

Bien du mal à mordre aujourd'hui. Vieux débris. Denture périmée – capitale des ruines. Ensemble cohérent. Cavité détruite à quatre-vingt-quinze pour cent. Douleur lancinante. Toujours des douleurs.

— Monsieur Beckett, pour votre dent, je vous pose un Doliprane 1000 sur votre plateau. Le dentiste vous prendra demain matin à huit heures. Vous verrez, il est très gentil.

Manquerait plus qu'il morde.

*

À l'aube, à l'heure où blanchit le dentiste, recroquevillé sur le fauteuil, je sais ce qui m'attend. Le supplice de la fraise tournant à grande vitesse et le petit pipi du jet d'eau qui l'accompagne. Fixé sur mes pensées, je récite dans ma tête des vers, qui depuis longtemps me rongent. Ronsard – j'ai toujours dit *Ronnesaw*, on ne mesure pas à quel point le « on » et le « r » sont inatteignables pour un anglophone. Graal de l'exilé. *Ronnesaw* sonne dans ma tête, sur un air de turbines sifflantes. Il est question d'Hélène – il est souvent question d'Hélène.

Quand vous serez bien vieille, au soir à la chandelle,
Assise auprès du feu, dévidant et filant,
Direz chantant mes vers, en vous émerveillant :
Ronsard me célébrait du temps que j'étais belle.

Diabolique *Ronnesaw*. Acariâtre. Méchant. Aurait pu être anglais. Jamais pu inventer de méchants. Toujours des fous. Parfois des vieux. Pas méchants ou pas plus qu'un autre. J'aurais bien aimé pourtant. J'aurais bien aimé que de bonnes crevures viennent me rendre visite sur la page. Qu'elles fassent monter la sauce jusqu'au fiel. Pas venues.

Quand j'écrivais, je veux dire, quand j'écrivais à tire-larigot, c'était après la guerre. J'écrivais chez moi, à Paris ou à Ussy. Ma méthode était la suivante : je m'asseyais le soir à ma table, j'imaginais une oreille derrière moi – une grande oreille, accompagnée d'une bouche, très belle – qui m'écoutait. Elle écoutait les mots venir dans ma tête, à mesure que je les écrivais, et me donnait son avis. Et je l'écoutais. Je lui accordais une certaine confiance, je l'écoutais. Elle me disait *ça c'est pas mal*, alors je continuais, j'écrivais : « C'était sur une route d'une nudité frappante », elle aimait bien, je continuais. Parfois, je ne savais plus si c'était elle qui m'écoutait ou si c'était moi qui l'écoutais et qui écrivais ce qu'elle me disait. Elle se prenait pour moi – et moi aussi, je la prenais pour moi. Ça se mélangeait. Ça se mélangeait d'autant plus que, pour des raisons que je ne me suis jamais expliquées, elle avait un petit accent dublinois. Pas le *Dart accent*, ça je ne l'aurais jamais toléré : l'accent bon chic bon genre, avec une prononciation qui commence dans les abysses de la gorge pour échouer dans le nez, non. Pas non plus l'accent des quartiers nord, qui met des *fuck* au milieu des mots, qui jure la bouche fermée. C'était un tout petit accent aigu qui montait et qui redescendait. Un accent de vieille dame. Un accent dix-neuvième. C'était parfait pour la prose, ce petit accent. Elle parlait pour moi, pour les amnésiques, les handicapés à béquille, les grabataires. Pour les meutes de justiciers, pour les indispensables agents, pour les grandes et grosses femmes, les assistantes sociales. Elle était tout et son contraire. Tous les personnages à la fois. Elle avait la dent dure parfois. Ça ne me gênait pas. Il fallait bien que quelqu'un mette de l'ordre dans l'histoire. Elle avait la dent dure, contrairement aux miennes.

— Crachez, monsieur Beckett. Vous pouvez vous rincer dans le lavabo à votre droite.

Si ça peut lui faire plaisir. Je ne suis pas contre. Je graillonne de bon cœur. Joie du vieux fumeur. Le mollard glisse en lieu et place de la molaire. Ma langue tombe dans un trou. Au fond à droite. Nouvel abîme.

On ne m'avait pas menti, le dentiste était fort aimable et fort bien fait de sa personne – je m'en rendis compte, moi à qui tout échappe, surtout les dentistes. *Bel homme*, aurait dit Suzanne pour m'emmerder. Ça m'emmerdait un peu quand elle disait *bel homme* ou *quel bel homme*. Pourtant, je la connaissais, je savais que son intention était de m'emmerder. Ça aurait dû glisser comme l'eau sur les plumes d'un cygne flottant sur la mare de St Stephen's Green, un dimanche d'octobre, alors que les feuilles bruissent au-dessus de son cou. Non, je dois avouer que ça ne glissait pas. C'était même plutôt l'inverse. Ça accrochait sévère, ça grippait de toute part. D'ailleurs, c'est parce que je savais qu'elle disait *quel bel homme* avec l'intention de me faire monter dans les tours que j'y montais de bon cœur. Et au pas de course. J'étais un peu coureur. Ça la tourmentait. C'était comme ça. Ça la tourmentait, alors elle disait ensuite *quel bel homme* à propos du dentiste ou d'un autre, pensant se venger. Déverser la dose de ressentiment que mes incartades avaient entretenue. *Incartades*, le grand mot. Comme si elle pouvait s'attendre à autre chose de la part d'un type qui ne croyait en rien. Qui était arrivé dans l'existence par accident, resté par négligence. Qui avait fait mine d'oublier la solitude à laquelle il était condamné depuis qu'il avait raté sa venue au monde. Lui qui flottait parmi les hommes, pas tout à fait né, pas tout à fait mort. Lui qui, plus seul qu'un rat, souhaitait l'être au-delà de tout.

Le *bel homme* s'approcha du fauteuil en cuir blanc qui accueillait généreusement ma personne, le masque baissé sur le menton. Il se lança dans une longue tirade – relative à mon bec et à son contenu – dont je n'entendis que la conclusion :

— J'ai profité de l'anesthésie pour enlever l'amalgame qui était très ancien et retirer la dent. Je vous poserai un implant dans quelques jours, quand ce sera cicatrisé.

Quel bel homme ce dentiste. Et quel orfèvre. La mer de douleur s'est éloignée. Révolte dentaire éteinte. Pour un temps. Je vais enfin pouvoir dormir. Dormir, rien de plus.

Au Tiers-Temps

12 août 1989

[Côté jardin]

Qui est-ce qu'on va mettre en Normandie ? Madame Mélinge, vous allez en Normandie ? Un, deux, trois, quatre... Vous ? Vous voulez la Bretagne ? Le Nord ? Madame Colard, mettez-vous là. Madame Lecoq, vous vous installez là-bas, avec les Bretons. Les équipes sont prêtes. On va tirer deux boules chacune. Madame Colard, à vous l'honneur... Bien ! Dix points. On recommence pour du beurre. Formidable ! Alors le palet, pareil. On va faire deux lancers. Allez, madame Joffrin, un petit lancer pour de faux ? Ah, UN, *c'est pas grand-chose, mais ça compte quand même, parce qu'il est dans la couleur. Cinq, six, sept, huit, neuf, bravo les Bretons ! Pour celles qui préfèrent, on peut aussi faire du mini-bowling et du billard hollandais au fond du jardin...*

Elles ont fini par me réveiller, ces bécasses. Pas étonnant, c'est samedi, jour de marché. Animations pour bécasses, juste sous mes fenêtres. Quelle heure est-il ? Dix heures. J'ai bien dormi. J'ai rêvé. J'ai rêvé de la maison. De ma maison, des coqs et des vergers. Des collines peintes par Hayden, camarade le plus cher, camarade perdu. Notaire prévu lundi, c'est sûrement ça. J'ai rêvé de ma maison d'Ussy-sur-Marne. Ussy, mon ailleurs. Je marchais dans les collines, les poches lourdes de bonbons. Je les vidais dans les mains des enfants des vergers de Molien. Je les vidais jusqu'au dernier. Je marchais dans la terre, à toute vitesse, comme un fou. Je marchais par les chemins crottés, la boue formait des croûtes sur le bas de mon pantalon. Je marchais sale comme un peigne, enfoui dans mon gros pull irlandais, heureux de m'enterrer à Ussy – jusqu'au cou. J'ai rêvé de ma maison. La maison blanche. Sur les sentiers de pommes et de poires, direction Avernes ou Beauval, une petite maison où il faisait bon se cloîtrer. Avant celle-ci, il y en a eu d'autres – il y en a toujours d'autres.

Au mois d'août, je quittais le Paris craspec, le Paris de la sueur, pour Ussy. Je rejoignais Hayden. La maison blanche n'existait pas encore. Je campais au Café de la Marne, rue de Changis, en face de l'église, dans une petite niche. Hayden a peint le café. Intérieur sombre. Murs vert pistache. Comptoir de bois garni d'un tapis bleu ciel. Sur le tapis, un plateau en feutre gris et trois dés. Des dés pour les parties de 421. Je n'y ai jamais joué – je ne jouais qu'aux échecs, avec Hayden – mais je me souviens. Je regardais parfois des types manier les dés. Des costauds du village. Jacques et son frère Dédé. Ils aimaient bien ça, je crois. Je me souviens du 421, l'ami des comptoirs, le voisin des bouteilles. Il n'y avait qu'à lancer et prier, à *charger* et à *décharger*.

Ça plaisait à Hayden, le tapis de feutre, les dés. Ça lui plaisait, il les a peints. Il a aussi peint le cendrier jaune en triangle (jaune anis, si ma mémoire est bonne), les verres lourds bleus et les bouteilles sur le comptoir. Il les a peints et y a ajouté sa pipe en bois clair – celle qui touchait son nez, quand il l'avait à la bouche et que ses yeux brillaient comme la lave au milieu d'un volcan enfumé. La lumière de Hayden, clarté éblouissante, soleil écru naissant sur la symphonie de vert des monts moyens de la Marne. Hayden était le jour, moi la nuit.

Je retournais toujours à Ussy. J'y retournais lorsque le soleil et mes nerfs tapaient trop fort. Plus au café. Dans une maison. La maison Barbier, louée pour quelques kopecks. Hayden n'était jamais loin, à quelques coups de pédales. Le Hayden de la Marne, réfugié avec Josette. Toujours réfugié. Pendant la guerre, c'était à Roussillon, pays d'Apt. Roussillon où tout est rouge. Lui et moi, compagnons de cachette. Anonymes étrangers en sursis, perchés sur la colline, travaillant la terre, pissant dans la sciure du tonneau. Hayden peignait aussi pendant la guerre. Il a peint à Roussillon. Des maisons, des collines, des sentiers rouge et ocre – le rouge des morts que la guerre avait laissé pendre sur notre dos, Hayden l'avait peint. Il suivait le rouge des carrières de l'immense gisement ocrier. Le rouge que le sable déclinait, le camaïeu d'ocre, Hayden l'a couché sur la toile. Sur des toiles faites de draps. Faites de ses mains. À Roussillon, mes mains travaillaient les champs, les vignes. Je transportais des caisses de raisin, écrivain en sursis. Je courais après la viande, quelques morceaux carnés. J'écrivais à peine, à peine quelques carnets. Une pause. C'est revenu.

Insensiblement, j'ai repiqué. Scribouillard laborieux, suant comme un bovin qui tire sa charrue au petit matin. Creusant mon maigre sillon. J'ai repiqué. À Ussy, je m'échinais à ma table. Lieu chéri. À Ussy, j'ai trouvé la plus belle plume de mon aile. C'était celle d'un cygne noir.

> *Allez-y! Oh zut... Recommencez, madame Mélinge. Bien! Cinq et trois, huit et deux, dix. C'est à vous. Waouh, dans le mille! Cinquante!*
>
> *Alors, le mini-bowling... Madame Joffrin, il faut faire glisser la grosse bille sur le toboggan – voilà – pour renverser toutes les petites quilles au fond du plateau. Bien! Il n'en reste que deux. Attention à la position des doigts, il faut pousser la bille, pas le petit toboggan.*

Les bécasses coucouannent. C'est bien dit. D'autres piaulent, grisollent, criquettent. Celles-ci coucouannent et cancanent. Chasse à la croûle dans le jardin. Le bon mot. Je dois l'avouer, je suis voyeur. Je guette caché derrière les rideaux de mon couvoir, fenêtre sur cour. Pulsion scopique irrépressible. Perversion de l'écrivain, éternel adolescent, maudit voyeur. Jadis, j'observais Suzanne. Suzanne au piano à côté de ses élèves, agitant ses jambes impatientes. Suzanne courant les trottoirs de Paris, rue Bernard-Palissy, mes manuscrits en poche. Suzanne s'ennuyant en silence pendant que l'adjoint au maire couvert de son écharpe la faisait Beckett.

Suzanne n'aimait pas trop Ussy – que le jardin. Elle ne venait pas souvent, seulement au début. Aux beaux jours. Train jusqu'à Meaux, une heure dix. Nous marchions ensuite dix-sept kilomètres pour atteindre Ussy. Le bagage léger. Ce n'était pas désagréable.

Aux beaux jours, les petites boules du sorbier, l'arbre aux fruits rouges, attiraient les grives, les fauvettes à tête noire, les mésanges. Les piafs voltigeaient du marronnier à l'érable negundo. Ils n'étaient pas seuls, bêtes parmi les bêtes. Quelques mètres plus bas, la troupe maudite des *soricomorphes aveugles* – dites taupes méditerranéennes – envahissait le jardin. La société secrète des fouisseuses gagnait chaque jour de leurs griffes le souterrain. Elles avaient fini par prendre leurs quartiers au pied de mon tilleul. Des dizaines de taupinières, monticules d'humus remontés des bas-fonds, formaient l'acropole des envahisseuses d'Ussy, dans mon jardin. On a tout essayé. À coups de bêche. De râteau. Rien à faire. *On est à la campagne*, disait mon voisin Jean. Il connaissait les taupes, il y en avait dans les champs autour de sa ferme. Jean voulait bien faire. Bien me faire plaisir. Il employait les grands moyens. Il s'asseyait sur un siège pliant, devant le tilleul, le fusil à la main. Il attendait. Il attendait que ça fouille. Il guettait, l'arme en joue. Ça ne grattait pas. Ça ne grattait jamais quand Jean était assis avec son fusil pointé sur une taupinière-cible, l'oreille attentive au moindre grattage. Jean revenait bredouille du jardin, siège pliant dans les mains, fusil en bandoulière. Un jour, il a changé son fusil d'épaule : terrier truffé de naphtaline, miné de petites boules blanches. Ça sentait fort, les taupes ne mordaient pas. Aucune victime déclarée. Nouvel échec. Jean n'a pas baissé les bras – guerre sans merci. Il a récupéré des munitions à la coopérative. Du poison mortel dissimulé dans des vers – amuse-gueule pour taupes. Les taupes aveugles n'y ont vu que du feu – vision du monde étriquée, réduite au simple ventre. Il en a garni les trous. Les taupes ont fait bombance. Péché de gourmandise. Péché mortel. Fin des taupes.

Aux beaux jours, il prenait de temps à autre à Suzanne

l'envie de sortir dans le jardin, de respirer le bon air et d'offrir ses seins au soleil. Suzanne enjambait soigneusement les taupinières, chaise longue en rotin tressé dans les mains, canotier à ruban noir sur la tête. Une fois installée, elle se dégrafait et entamait une longue sieste en tenue d'Ève. Ses mamelons doraient, ils rôtissaient parfois. Je l'observais par la fenêtre de mon bureau, satyre discret. Je surveillais aussi les mateurs, les jeunes puceaux de Molien qui la regardaient rôtir par-dessus le mur. Je les voyais. Je voyais des quarts de tête dépasser du mur, des têtes au regard concupiscent, bobines sans moustache auxquelles je donnais encore des confiseries la veille. Ils mangeaient Suzanne de tous leurs yeux, suivaient les alternances. Sur le ventre, sur le dos. Rotation toutes les quinze minutes. Suzanne faisait leur bonheur. Tous les quarts d'heure.

*

Monsieur Beckett?

Maître Fauvette à l'appareil. Bon, j'ai préparé les éléments du dossier pour la maison d'Ussy. J'ai eu vos amis Jean et Nicole au téléphone. Je leur ai tout expliqué. J'ai aussi eu vos neveux, tout le monde est d'accord, donc RAS, tout va bien. On se voit tous demain comme prévu? 14h30, à l'hôtel PLM, 17 boulevard Saint-Jacques?

Nicole et Jean à Paris, boulevard Saint-Jacques. Joie. Nicole, Jean, Ussy tout entier derrière eux. Dans leur bagage. Dans la remorque du van. Dans la terre molle accrochée aux stries des roues écrasantes. Vestiges des beaux jours où la plaine d'Ussy s'offre à la promenade.

La plaine : *ni trop verte, ni trop plate.* Terre modeste. La route de Molien, route des vergers filant jusqu'au pigeonnier de la vieille ferme, dans le prolongement duquel se trouvait une impasse. Impasse dans laquelle vivait un géant. L'hyperbole. «Le Géant», c'est comme ça qu'on l'appelait à Ussy, ailleurs aussi je crois : «André le géant». Nicole disait «Dédé». Je ne le connaissais pas. Ou de loin. Parfois, je le croisais avec ses frères et sœurs sur le chemin de l'école. Ou plus tard au café, devant le tapis du comptoir bleu ciel et le plateau de dés. Je le connaissais de vue. Une silhouette courbée à côté de celle de son père, tranchant du bois les dimanches d'hiver, avant que la neige ne recouvre Ussy. Que la couche de particules de glace ramifiées et cristallisées n'assourdisse les bruits du village. Que la couleur ne soit ensevelie sous l'enveloppe ouatée qui faisait peau avec Ussy, les mois en «bre», comme disait Jean, et les mois en «ier». Aujourd'hui, Dédé est catcheur, paraît-il. Champion, même au Japon. Ussy, terre fertile, terre mythique, berceau de géants. Un jour, le grand Dédé a plié le siège du tracteur. Le siège noir en polychlorure de vinyle. Il s'est incliné sous la carcasse du géant. À la casse, KO. Dédé, le colosse, ne rentrait pas dans une voiture. Ou alors ployé, la tête dépassant du toit que l'on avait ouvert pour que Dédé prenne place. Toile ouverte, comme en mer, au vent d'Ussy. Dédé capitaine, tassé sur la banquette. Pelotonné, ses jambes passant à travers le trou de la portière, pendant sur le rebord de la fenêtre. Dédé fendant l'air de ses guiboles fortes comme des mâts. Dédé homme-navire.

La vieille Alphonsine roulait aussi sur les chemins d'Ussy. Alphonsine, grand-mère de Jean – «Mémère Alphonsine». Elle faisait rouler une voiture d'enfant, petite poussette rouillée blanche en fer forgé, vestige du passé. Couverte de son châle, elle poussait par tous les temps sa précieuse carriole. La voiture d'enfant n'était pas couverte : voiture décapotable. Poussette à ciel ouvert. Qu'était-il advenu de la capote? Mystère impénétrable. Alphonsine l'aurait-elle retirée afin de rendre plus accessible le panier du berceau qui lui servait à entreposer ses commissions? Avait-elle tout bonnement succombé aux mites? Une bourrasque l'aurait-elle emportée un soir, alors même que les bourgeons des érables laissaient espérer une entrée imminente dans la douce saison? Peut-être. À moins que la disparition de la supposée capote ne soit le fruit d'un odieux larcin. Le vol de la pauvre Alphonsine dont l'équilibre bancal était tributaire de l'indispensable poussette. Ou peut-être encore n'y avait-il jamais eu, au grand jamais, de capote sur ce véhicule? C'est possible. Toujours est-il que « Mémère Alphonsine » s'appuyait à la barre recourbée de la voiture d'enfant comme sur une canne mobile. Énergie cinétique : entraînée par son propre poids. Énergie égale au travail des forces appliquées pour faire passer le corps du repos au mouvement. Alphonsine entraînait la poussette qui l'entraînait. Les quatre grandes roues couinaient en rythme sur son passage. Je l'entendais venir de loin. Les roues couinaient alors que ses pas traînants battaient l'*afterbeat*. C'était un jazz lent. Le jazz d'Alphonsine qui allait faire ses courses et venait faire mon ménage. Peu de contretemps. Je pouvais compter sur elle.

Jean et sa femme Nicole disaient « Mémère » : nom de pays. Moi je l'appelais « Madame ». « Madame Alphonsine ». C'est ce que ma mère m'avait appris : un ton déférent et courtois, sans familiarité. Pas d'économie sur les bonnes manières. Chaleur protestante, chute de température de dix degrés. Je crois qu'Alphonsine aimait bien. Elle aimait que je l'appelle « Madame » ou « Madame Alphonsine », que je rende à sa corolle de cheveux blancs les hommages qu'elle méritait. Que je sois poli – « pour un Irlandais » –, ce qui compensait un peu les réserves que je savais qu'elle avait, malgré son silence, non sur mes origines à proprement parler, mais sur ma consommation de boisson – corollaire plus ou moins direct. Ses réserves, Alphonsine avait beau les cacher, je les sentais. Je les sentais lorsque, jetant un regard sur le pas de la porte, elle contemplait longuement sa voiture d'enfant, dans laquelle les bouteilles de Jameson vides s'accumulaient parmi d'autres sacs de détritus, les jours où elle se rendait « aux ordures ». Alphonsine reprenait alors la route et longeait l'école jusqu'au bout de l'allée, jusqu'aux conteneurs à verre. C'étaient des sortes de maisons-poubelles fermées et pisseuses – tant par leur couleur que par les usages que la jeunesse ussoise en faisait, les soirs de beuverie. J'imaginais Alphonsine comptabilisant chacune des bonbonnes, dressant le bilan des cadavres qu'elle faisait glisser dans la fente à franges noires caoutchoutées, le cœur soulevé par la combinaison d'effluves qui montait à ses narines. Je la voyais pestant, jurant à voix basse, déversant au recyclage les mauvaises pensées qu'elle taisait en ma présence. Qu'elle taisait en présence de quiconque. Messes basses de blasphèmes. De reproches silencieux. Rituels cathartiques.

Lorsqu'elle se croyait seule, May injuriait la terre entière. Elle jurait comme une charretière embourbée. Assortiments d'épithètes fleuries – l'anglais n'en manque pas – que l'on remplace volontiers, à l'écrit, par une petite étoile ou plusieurs, selon le niveau de grossièreté retenu. Tentons une évaluation objective. Il me semble que les fantaisies langagières impliquant le Tout-Puissant, son fils et ses saints sont largement surestimées. J'entends par là que les *damn*, les *bloody*, les *oh my God* ne devraient pas, à mon sens, siéger en tête à une époque où les mangeurs de crucifix peinent à lutter contre la poussière qui s'amoncelle sur les bancs des églises, y compris en Irlande. Qui peuvent-ils encore atteindre, ces noms d'oiseaux lâchés à tout bout de champ comme pets sur toile cirée, en début ou en fin de phrase, par réflexe ou par nécessité ? Je me le demande. Pour ma part, j'ai toujours eu une préférence pour les insultes grivoises – je ne sais pas si c'est le bon mot. Disons à caractère plus ou moins pornographique. Quelle que soit la nature ou l'excentricité de la pratique sexuelle évoquée. Pratique certainement démodée de nos jours ou d'une banalité affligeante. Dans l'ancienne Irlande, ça faisait son petit effet. Il suffisait de commencer un mot par un « F » franc, bien attaqué, pour que ça fasse son petit effet. Je ne boudais pas mon plaisir. Dès que l'occasion se présentait, dans les rues, dans les pubs, je faisais siffler le « F », les dents collées à l'intérieur des lèvres. Ça m'a valu quelques frottées, d'ailleurs. Mais quelles que soient les conséquences sur mon intégrité physique, je dois dire que je prononçais toujours le « F » avec un certain plaisir. Amour du danger. Pur masochisme peut-être. Je crachais ma valda sans me préoccuper de la colère noire que mes postillons avaient fait croître. Sans le moindre regret.

May ne le faisait jamais. Même quand elle était seule et que son élocution déversait en rafales des grossièretés ahurissantes – pour qui connaissait May –, elle ne le faisait jamais. Elle n'usait pas du « F », du « F-word », comme on disait chez moi. Comme disent les puritains. Elle préférait de loin le Christ et ses apôtres, première catégorie mentionnée ci-dessus. Les gentilles insultes qui nous étaient interdites depuis toujours, dont on nous disait qu'elles feraient brûler en enfer ceux qui se risquaient à les dire ou même à les penser. C'était de ces blasphèmes qu'elle se purgeait loin de tous. Vidange salvatrice, lorsqu'elle croyait n'avoir pour témoins de son péché que l'écho de la cuisine vide et le Dieu en question, premier concerné. Si elle avait su – si elle avait même soupçonné – que ces paroles prononcées dans un mouvement de violence solitaire parvenaient à mes oreilles – les soirs où je l'espionnais du haut de l'escalier, ma tête d'enfant glissée à travers les barreaux de bois –, elle en serait morte. Du reste, May est morte. En paix, enfin. N'en parlons plus.

Dans sa voiture d'enfant – déambulateur artisanal, recyclage astucieux des oripeaux de la maternité –, Alphonsine transportait aussi, certains jours, des œufs encore couverts de plumes. Œufs maison, pondus dans l'enclos du jardin. Œufs de la veille – « ceux du jour ont encore les microbes des poules », disait-elle. Ceux d'Alphonsine étaient coagulés à point et sans mauvaise surprise. Je les gobais de bon cœur. Mollets, pochés, brouillés et même crus – les lendemains de Jameson.

Quand elle n'a plus pu, quand la voiture d'enfant n'a plus suffi à tenir Alphonsine dans l'axe exigeant des bipèdes, elle m'a envoyé Nicole – femme de Jean. De son petit-fils. Nicole trois fois plus jeune qu'Alphonsine, trois fois mère, trois fois plus aimable que la moyenne des vivants. Nicole, la discrète. Elle connaissait les habitudes : pas de visite pendant mon travail. Elle se pliait avec grâce aux règles que je lui imposais – règles névrotiques –, avec l'air du soldat qui fait pleinement allégeance. Je lui en étais honteusement reconnaissant. Reconnaissant de faire contre mauvaise fortune bon cœur. De s'accommoder de mes maniaqueries obscènes. De mes rituels compulsifs de vieux garçon. De ma pauvre personne. Une gageure. Au cours de mon existence, il me semble que peu d'êtres sont parvenus à me supporter. Je veux dire : à me supporter d'une manière qui me soit supportable. Il faut dire que je ne supporte pas grand-chose. Ni la grève des cheminots, ni la conversation, ni la douleur de ma jambe suspendue en l'air comme me le demande avec insistance le kiné. Peu de choses me sont supportables. Inaptitude au monde. Instinct de solitude.

Je prévenais toujours Nicole de ma venue. Un coup de fil et la maison était prête. Avant même que le train n'entre en gare. Avant que je ne monte dans la 2 CV grise à toile piquée qui m'attendait fidèlement devant les arcades. Avant que je ne tourne la clef dans la porte de la maison qui accueillait toujours ma solitude à bras ouverts. Ma maison d'Ussy.

Monsieur Beckett ? Maître Fauvette à l'appareil. C'est bon pour vous ? Vous serez là demain ? Est-ce que vous souhaitez que je passe vous prendre avant le rendez-vous et que nous nous rendions ensemble au PLM ?

Drôle d'oiseau, ce notaire. Plutôt sympathique au demeurant. Non, demain, c'est ma canne qui me mènera boulevard Saint-Jacques. Elle connaît le chemin. La canne que j'entraînerai et qui m'entraînera à sa suite, rue Rémy-Dumoncel, rue Dareau, boulevard Saint-Jacques.

Nous traînerons nos trois jambes gringalettes sur le trottoir, jusqu'au numéro 17. Jusqu'à l'hôtel bâti sur une carrière qu'on appelait naguère « La Fosse aux Lions ». Fosse dans laquelle s'entretuaient, jadis, toutes sortes de bêtes féroces, paraît-il : écoliers des pensionnats du faubourg, saltimbanques, mangeurs de filasse, avaleurs de sabre, exhibeurs de nains polyglottes. Une grande ménagerie humaine comme on n'en fait plus. Quoique... En regardant de plus près... par ma fenêtre ou dans le miroir... Pas mieux.

Au Tiers-Temps

13 août 1989

Dimanche, à dix-sept heures, visite impromptue de l'Éditeur-auquel-je-dois-tout, alors que le garçon coiffeur est en plein ratissage de mes épis. Flagrant délit de jardinage. Le coiffeur qui ne se contente pas de couper – ce qu'il fait néanmoins, coinçant mes cheveux par petites touffes entre son index et son majeur pour les ratiboiser – mais qui commente également chaque geste qu'il accomplit, se sentant en verve en cette fin d'après-midi d'été.

— Regardez, me dit-il, c'est incroyable ce que vous avez comme cheveux à votre âge, monsieur Beckett. Jamais vu ça ! Je vais désépaissir un peu, sur le dessus, pour que ça gonfle moins.

Que ça gonfle moins, pas sûr. Niveau d'agacement déjà relativement élevé en ce début de séance de toilettage. Le jeune coiffeur, visiblement content de son expertise, a cru bon d'ajouter ces quelques mots sonnant comme une promesse :

— Vous verrez, vous serez content, vous vous coifferez avec plus de facilité.

Pourquoi faut-il que même dans ses vieux jours, à l'hiver de son existence – hiver de son déplaisir –, l'homme qui n'aspire pourtant plus à grand-chose, si ce n'est à un peu de paix, soit confronté, bien malgré lui, à tant de bêtise ? Je veux dire : comment se fait-il que le vieux – dès lors qu'il se voit contraint de fréquenter une population qu'il tentait de fuir jusqu'alors : personnel médical, garçon coiffeur, etc. – devienne un animal de compagnie devant lequel on déblatère ? Pas tellement différent du caniche ballot, le vieux auquel on confie ses petites opinions sur les choses. Réceptacle des déchets du langage et de la pensée. Victime des niaiseries de tous, et en prime, devant témoin. Un privilège de plus.

L'Éditeur, ami fidèle parmi les fidèles, s'approcha le plus naturellement du monde, feignant de n'être en rien décontenancé par ma position qui, au moment précis de son entrée dans la chambre, était la suivante : tête en arrière, abandonnée comme sur l'échafaud aux mains du figaro, regard au plafond et reste du corps drapé dans une blouse noire tel le grand prêtre de Tullow Church pendant l'office.

Me vint alors une formule incroyablement désuète, qui me sembla adaptée sur le moment :

— Finissez d'entrer.

Expression impayable. Il paraît que ça vient de la langue occitane. « Finissez d'entrer », comme si l'action de franchir le seuil de la porte de quelques centimètres requérait de nombreuses étapes à l'issue desquelles il était nécessaire de relancer, chaque fois, une invitation afin de parvenir à la traversée finale et glorieuse du fameux pas de porte. Toujours est-il que l'ami éditeur finit d'entrer avec succès, posa sur la table la bouteille de whiskey qu'il avait dans les mains et prit place aux premières loges du spectacle grandeur nature auquel je me livrais malgré moi : spectacle pitoyable du vieux mâle renonçant à sa crinière. Ablation nécessaire. Castration inévitable. Maudit soit ce qui pousse, pensai-je. Tiens, c'est difficile à dire. « Maudit soit ce qui pousse. » Consonnes fricatives à la française, resserrement de la glotte laissant passer l'air en un frottement. Chez moi, on bredouille plutôt des occlusives, fermeture complète de la bouche suivie d'une ouverture brutale. Explosion garantie : *Peter Piper picked a peck of pickled peppers*.

Je me résolus à partager cette pensée à voix haute : *Maudit soit ce qui pousse*. À recouvrir d'une parole mon embarras. À balayer d'un trait d'esprit l'adversité de la situation qui me réduisait au rang de bétail tondu devant la foule – moi qui durant la guerre étais pourtant du bon côté. Je me lançai donc, convaincu d'emporter l'adhésion générale :

— Maudit soit ce qui pousse ! dis-je. Et ce qui rebique.

Promenant sa main droite sur son crâne dénudé, l'Éditeur-auquel-je-dois-tout me répondit d'un ton narquois :

— L'hirsutisme... Un problème que je n'ai pas.

Comment n'y avais-je pas pensé ? Comment avais-je pu oublier le grand front dégarni – signe pourtant distinctif de l'Éditeur, avec ses yeux perçants d'aigle et son large sourire. Comment avais-je pu faire siffler les consonnes sans me mettre dans la peau de cet autre, qui s'était toujours si bien mis dans la mienne ? Qui avait toujours si bien lu en moi. Qui m'avait si bien lu. Voilà un épisode, hélas emblématique, de ce que me vaut le fait d'ouvrir un tant soit peu la bouche – glotte resserrée ou non. Ah ! l'art de la conversation, un don que les fées ont omis de m'accorder, si tant est qu'elles se soient penchées sur mon berceau. Berceau duquel je n'ai cessé de tomber, paraît-il. C'est peut-être ça. J'en suis resté infirme. Infirme de la conversation. Des bavardages entre congénères. Les bourdes succèdent au silence. Une moyenne de trois quatre âneries à l'heure, les bons jours. Si encore je me taisais, comme je sais qu'il faudrait que je le fasse. Mais je m'obstine. J'oublie. Je rechute. Je ne parle même pas des heures durant lesquelles, légèrement imbibé, je renonce à toute forme de vigilance. Passé le deuxième verre, la moyenne remonte à coup sûr. Le phénomène s'intensifie jusqu'à être multiplié par trois. Un désastre. En cas de cuite réelle et effective, la chose devient alors cataclysmique, inarrêtable. Des ouragans de conneries s'abattent sur mes semblables sans même que je m'en rende compte. Me laissant contrit, le lendemain. Résolu à me taire, jusqu'à la prochaine récidive. La parole, une malédiction. Non, je ne dis rien qui vaille. À l'écrit peut-être. Voire.

Par chance, l'ami éditeur – ami le plus sûr et le plus sage qui soit – n'a nul besoin de parler. N'a nul besoin de me parler. De me demander ce que je fais, lorsque ses yeux lui indiquent que je ne fais rien. Que je ne peux plus rien faire. Que je suis là inerte. Condamné à imaginer ce que j'écrirais, si j'écrivais encore. Que je suis là, à gratter sur l'ardoise de mes pensées flottantes des lettres illisibles. Mots au compte-gouttes. Presque effacés. Il n'a nul besoin de m'interroger pour savoir que je ne fais qu'attendre. Attendre que ça s'efface enfin.

L'Éditeur se tait magnifiquement. Avec maestria, dirais-je même. Avec éloquence. Virtuose du silence, il se tait et roule ses billes de cheval effrayé. Mirettes magnifiques sondant à la fois le tout et son détail : le vieux Sam, la blouse de prêtre, le garçon coiffeur au pantalon qui descend au milieu du baba – sourire du plombier. Et je me régale de son silence. Du silence qu'il s'autorise sans gêne. Du silence de l'Éditeur qui déchiffre, qui comprend tout, qui dit tout sans indiscrétion.

Le garçon coiffeur se tut enfin, dans le boucan insurmontable du satané sèche-cheveux. Il rangea la blouse noire. Scène du coiffeur finie. *Coupé !* Le garçon sort. L'ami éditeur ouvre la bouteille. *Un temps*. Nous buvons. Ensemble. En silence.

Au Tiers-Temps

14 août 1989

Cette nuit, les hurlements de ma voisine m'ont sorti de ma chambre. De la chambre dont je sors si peu. J'étais à ma table. Je suis souvent à ma table. Je cherchais un mot. *Soubresauts.* Le mot est venu et je l'ai écrit. J'ai écrit *soubresauts*, ou plutôt j'étais encore en train d'écrire *soubresauts* à côté de mon titre *Stirrings Still* – je suis si lent – lorsque les soubresauts, les vrais, ceux de ma voisine, sont advenus. Des soubresauts que je pouvais entendre sans les voir, dans les modulations de la voix de ma voisine qui hurlait à s'en râper le fond de la gorge. Qui écorchait les oreilles des murs. Des cris sourds. Plaintes de la créature dont la chair meurtrie se tend une dernière fois avant de rendre gorge. De se rendre à la fin qui est la sienne, de restituer les derniers mots, les derniers sons – ultime legs.

Qu'a-t-elle dit ? Qu'a dit la voisine, la doyenne mitoyenne dont l'existence résonne comme si elle était là dans ma chambre ? À mes côtés. Parois très minces. Promiscuité des vieux jours où l'on assiste à l'autre, étranger – problème chronique, spectacle sonore permanent – de l'heure où la nuit rejoint le jour, à celle où elle le quitte.

Promiscuité, échos de vieux : du râle du réveil aux toussotements du soir, en passant par les petites prières. Ça lui faisait du bien, les petites prières. Ça la rassurait, la voisine, la mitoyenne. Je l'entendais réciter à voix basse une prière, toujours la même, qui m'était étrangère, elle aussi. Une prière du soir. Ça faisait :

Je Vous adore, ô mon Dieu, avec la soumission que m'inspire la présence de Votre souveraine grandeur.
Je crois en Vous parce que Vous êtes la vérité même ;
J'espère en Vous parce que Vous êtes infiniment bon ;
Je Vous aime de tout mon cœur parce que Vous êtes souverainement aimable et j'aime mon prochain comme moi-même pour l'amour de Vous.

Bon. Moi qui me soucie de Dieu comme de la première chaussette de Bonaparte. Comme de ma première injure. Comme de ma première chaude-pisse – vieux cochon –, je dois dire qu'au début ça m'amusait un peu. Ça m'amusait d'entendre la ritournelle de ma compagne imposée – les lieux m'imposaient à elle, comme elle à moi, mariage forcé des murs –, ça me rappelait l'internat de garçons. Vieux potache. La Portora Royal School, institution protestante plusieurs fois centenaire, du comté de Fermanagh où j'ai passé l'âge bête. Ça me rappelait les dortoirs. Les messes basses, les histoires de Conan Doyle, de Sherlock Holmes chuchotées la nuit. Ça n'était pas désagréable. De vivre ensemble, de part et d'autre de la paroi. On s'entendait bien. On entendait tout. D'ailleurs, soir après soir, je m'étais mis à tendre l'oreille, à connaître si bien la prière que j'aurais pu la réciter par cœur, si on me l'avait demandé. On ne me l'a pas demandé. Mais j'aurais pu. Cette prière, je dois dire que, tout athée que je suis – tiens, *tout athée que je suis*, c'est bizarre –, tout athée que je suis, pourtant c'est bien comme ça qu'il faut dire, je la trouvais jolie. Je parle du style. Un vieux style tenu. Je ne m'en souciais pas plus, bien évidemment, mais dans le genre «Prière», je la trouvais plutôt pas mal. «Vous êtes souverainement aimable», c'est quelque chose quand même. Et je l'entendais bien, puisque le lit de la doyenne – elle a quatre-vingt-dix-neuf ans, paraît-il, la doyenne du Tiers-Temps, *dixit* Nadja l'infirmière – était collé au mur. La tête du lit contre la mienne, si on veut, mais de l'autre côté. Raison pour laquelle je l'entendais si bien. J'entendais même ses apartés. Les moments où elle s'adressait à elle-même, pour s'encourager. Où elle était son propre public. Savait-elle que je l'entendais comme elle m'entendait certainement elle-même? Que j'étais le voyeur de ses tourments? Témoin obscène, de l'autre côté du mur. Je ne sais pas.

Mais cette nuit, la nuit dernière, alors que j'écrivais à ma table, pas de prière du soir, ni soumission à la *souveraine grandeur* du Très-Haut. À la place, ma voisine mitoyenne a crié de toutes les forces que lui accordait la fin. Des cris bas. Épuisés. Expirants. Qu'a-t-elle dit? Un nom d'homme. Peut-être un mari, un père ou un frère. À moins qu'il ne s'agisse de ce véritable amour, perdu il y a si longtemps. Ce premier amour pour un homme modeste. Il n'était pas le bienvenu. Dans la famille, elles n'étaient jamais les bienvenues – les amours modestes, quoique véritables. Elle n'a pas choisi. Elle ne l'a pas choisi. L'homme modeste est parti. Pourtant cette nuit, dans sa chambre, dans le dernier souffle qui a précédé sa mort, elle a crié son nom comme s'il allait venir. Comme s'il était déjà là, sous ses yeux. L'amour perdu, revenu juste à temps, avant que la lumière devenue insignifiante ne s'éteigne. Tu délires, pauvre vieillard. Tu réécris la fin. Tu ne peux pas t'en empêcher. Personne ne sait ce qu'elle a voulu dire. Personne ne connaît la fin.

Ce que je sais, c'est qu'à l'heure où vibrait ce nom sur les lèvres violettes, ce nom inconnu de moi, j'écrivais encore à ma table. Je pourrais donner l'heure à la police, si elle vient. Ou à l'agent de la mairie. Je pourrais lui dire, *c'était autour de vingt-trois heures*, à l'heure où j'écris encore à ma table, que la doyenne a poussé son dernier cri. Alors que j'étais en proie aux *soubresauts*, j'ai entendu les siens. Peut-être l'agent me demandera-t-il des précisions sur cet instant. Sur l'instant du dernier cri. L'instant du dernier instant. Peut-être m'interrogera-t-il.

— Monsieur Beckett, que faisiez-vous au moment où vous avez entendu des cris ?

— J'écrivais.

— Vous écriviez ? Vous écrivez encore ?

— Plus vraiment.

— Alors pourquoi me dites-vous donc que vous écriviez ?

— ...

— Que faisiez-vous au moment où votre voisine est morte ?

— J'écrivais.

— Vous écriviez, me dites-vous. Vous écrivez donc encore ?

Paroles ineptes d'agent de mairie – nouveau cauchemar – alors que la doyenne gît encore, dans la chambre mitoyenne. Pas encore froide. Je me résigne au silence. Seule sagesse. Le silence.

— Monsieur, qu'avez-vous fait lorsque vous l'avez entendue crier?

Je me suis levé, aussitôt que j'ai pu – je suis si lent. Je me suis levé, accroché à la table. La table sur laquelle j'écris. J'ai crié à mon tour, dans les couloirs, réveillé les sentinelles. Ma voix éraillée a sonné l'alarme, relayant le glas que ma voisine avait entrepris de sonner elle-même. De toutes ses forces. Pas assez fort. J'ai crié pour elle. Crescendo de paroles décousues. Mugissement de colère. Il me semblait que ma voix déchirait la nuit, qu'elle se posait sur celle de ma voisine. Redoublait ses pleurs, ses cris d'amour perdu et retrouvé. Lorsque mes jambes ont atteint la chambre qui touche la mienne – au rez-de-chaussée aussi, mais pas de vue sur le jardin –, lorsque mes mains tremblantes ont cogné à la porte, tourné la poignée, la fin était en vue. Des nuées d'infirmières ont volé à son chevet. Leurs blouses bleues formaient un ciel autour du lit. Le lit équipé d'un dispositif électrique que la vieille avait actionné pour se soulever. Pour faire face. Raidie de douleur, les yeux plongés dans les orbites vides de la mort. Les yeux bleus de ma voisine étaient pleins d'affres et de terreur. Vision terrifiante. Pas de fin douce. La souffrance ultime, la dernière peur et pour seul remède l'affection feinte du personnel. De ceux qui, rompus à l'exercice du trépas, ont appris les mots et les gestes de circonstance. Faibles palliatifs. La voisine est morte. Plus de petites prières. Je ne l'entends plus. Je n'entends plus que moi-même. Et le silence.

*

Le notaire a dit quatorze heures trente. C'est noté sur mon carnet. Le carnet Moleskine brun doté d'un rabat noir sur lequel je consigne tout, de ma vieille écriture de chat. Rendez-vous à quatorze heures trente, cet après-midi même. La mort de la voisine n'était pas prévue – pas sur le carnet. Cet après-midi, je vais quitter pour un temps les lieux et la mort qui rôde. Quelques heures volées. Rendez-vous avec le notaire, drôle de coïncidence, justement aujourd'hui. Rendez-vous avec le notaire, alors que la mort vient de frapper. Pas moi, la voisine. Juste à côté. J'ai senti le vent du boulet passer. À un cheveu. Effleurer mes tempes. Comme je l'ai déjà senti me frôler jadis et me rater toujours. Toujours proche, toujours à côté. À quatorze heures trente, il ne sera question ni de la voisine, ni de sa mort, mais de ce qu'il adviendra de la maison d'Ussy lorsque je ne serai plus. *Lorsque je ne serai plus* – le ton dramatique. Je ne suis déjà plus capable de me rendre dans la maison d'Ussy où j'ai tant été. D'enfourcher la 2 CV dont la capote grise a été fanée par le soleil. Nicole disait que c'était par la lune. Qu'une voiture qui dormait dehors recevait, à la nuit tombée, des *coups de lune* qui avaient pour effet de brûler sa toile. La toile qui servait de toit à ma 2 CV grise. La toile perforée par les astres et le temps, qui laissait légèrement passer l'air comme un souffle de liberté qui me poussait jusqu'à la maison. La maison qui me tendait les bras. Avec ma 2 CV grise, j'allais bon train. Jusqu'à Ussy. Jusque dans le jardin dans lequel je faisais déraper la voiture pour l'arrêter. Comme un gosse. Je déverrouillais d'un tour de clef la porte de la maison blanche – « la maison blanche » ! Comme un gosse. Je rangeais mes chaussures à l'intérieur du coffre de l'entrée et j'ouvrais les portes coulissantes. Là, rendu dans la pièce de vie, comme on dit à la campagne, dans la salle où tout se passe, où tout peut se passer. Je m'asseyais à mon bureau. Moment de grâce.

Comme tout le reste, mon bureau était plutôt spartiate. En bois sombre. Quatre tiroirs. Une machine à écrire. Je gardais toujours, à main gauche, mon paquet blanc de cigarillos, sur lequel figurait le portrait d'une marquise ou d'un diplomate – tabagisme politique. Un cendrier à la droite du droitier – par commodité. Un cendrier à poussoir en acier à couvercle rotatif – gagné à la tombola d'Ussy. *Si ça c'est pas de la chance*, m'avait dit Nicole. Une pression de l'index faisait disparaître la cendre et les mégots. En un tournemain, en un tour de doigt. Je fumais les mains libres, aspirant le mégot que mes lèvres gardaient machinalement collé. La fumée sortait de mes narines, me faisant disparaître dans le brouillard, jusqu'à ce que le mégot à bout se pose sur le cendrier. Pression de l'index. Un tour. Plus rien.

Depuis le bureau – poste d'observation –, ma vue plongeait dans le jardin. Le dehors venait à moi. Des paysages anciens croisés dans des songes, des paysages imaginés par d'autres se mariaient à ceux que je pouvais admirer par la fenêtre. Deux hommes, deux compagnons, contemplant la lune vaporeuse, au pied d'un arbre déraciné. Ça me venait. L'arbre penché, pas encore tombé. L'arbre qui avait assez vécu pour se sentir centenaire, qui, immobilisé à mi-chemin de sa chute, semblait danser. Ça me venait. Deux hommes eux aussi penchés, au pied d'un arbre et d'une pierre immense. C'était un dolmen – mégalithe mystérieux, comme on en trouve sous le sabot du premier cheval irlandais venu. Je laissais venir. Je laissais venir à moi les lumières de la nuit, de la campagne dans le brouillard, peu à peu invisible. Lieu d'errance. Je n'y voyais pas grand-chose. Tout juste étais-je en mesure de distinguer les silhouettes des deux compères qui se levaient et se rasseyaient, leur chapeau remuant sur leur tête dans le noir. Le noir de mes pensées, de l'encre que jetait ma machine sur les dialogues que mes doigts tapaient. Dialogues complètement tapés. Personnages aussi.

Quoi de plus dans la pièce de vie ? Je me souviens du lit-bateau qui servait à s'asseoir, qui servait à Hayden à qui je servais un verre – durant les interminables parties que subissait l'échiquier de mon grand-père. La cuisine était au bout du couloir. Nous faisions, le soir, des allers-retours furtifs pour réapprovisionner les verres. Le couloir devenait alors, lui aussi, interminable jusqu'à la cuisine – lieu de réserve. Cuisine rudimentaire : un évier, une table recouverte d'une nappe fuchsia taillée dans un tissu moderne. Pas une toile cirée, un tissu en coton enduit, imperméable, sur lequel glissait une rivière de café au lait lorsque, maladroit, j'échappais mon bol au réveil. Je l'échappais souvent, je ne suis pas matinal. Suzanne le savait. C'est ce qui l'a poussée à acheter la nappe en tissu moderne. Pour que ça glisse. Que ça ne tache pas. Quant au fuchsia, je n'ai jamais su pourquoi. Pourquoi du rose-fuchsia ? Peut-être pour égayer la pièce, austère comme une cuisine de couvent, avec ses fauteuils en osier et sa table branlante. J'allais oublier le vide-poches – objet essentiel de la cuisine. Le vide-poches qui, posé sur la nappe, me servait à laisser des messages à Nicole.

Merci beaucoup pour les délicieux légumes du jardin et pour la maison, comme un sou neuf! À propos de sous, en voici trois pour la tirelire des enfants.

Embrassez-les pour moi.

Sam Beckett

Je me sentais obligé d'écrire «Beckett». C'est idiot, mais je me sentais obligé de l'écrire, pour une simple et unique raison : Nicole m'a toujours appelé «Monsieur Beckett». J'aimais pas tellement. Ça faisait un peu patron. Un peu supérieur. D'autant plus que moi, comme elle était jeune, je l'appelais Nicole. J'aimais pas tellement. Ce côté vieille école : moi «Monsieur» et elle «Nicole». Mais je ne pouvais pas non plus lui dire de m'appeler Sam. Connaissant les Français, très à cheval sur les «Monsieur Madame», ça aurait eu l'air un peu cavalier. Ce n'était pas le but. Soit dit en passant, ils m'ont toujours fait rire les Français avec leurs bonnes manières. Avec leurs grandes formules. Un sens du solennel qui, chez eux, n'est absolument pas incompatible avec le fait de coucher avec ladite «Madame» – voisine d'en face ou femme de leur meilleur ami, par exemple. «Madame» n'empêche rien, bien au contraire. «Madame» ouvre les portes d'un paradis sur lequel règne une courtoisie sans bornes. «Madame, laissez-moi remettre droites les fleurs de votre corsage.» Politesse française s'il en est. Moindre des choses. Et je dois dire que, de ce point de vue, je me sens très patriote. Français d'adoption, pourrais-je dire. «Mes hommages, madame.» Pauvre croûton.

— Monsieur Beckett, vous n'avez pas touché à votre plateau déjeuner!

C'est bon pourtant aujourd'hui, regardez :
Terrine aux trois poissons
Rôti de bœuf, pommes duchesse et carottes
Fromage
Tarte griotte
Je vous laisse encore un peu de temps. Je passerai le reprendre en dernier.

Pas faim. Pas d'appétit. Et je doute que sa présence me soit d'aucun secours. La présence de la grosse dondon aimable. Vue peu attrayante. Qu'elle reprenne donc son plateau, la poitrine opulente trempant dans la sauce du rôti et des pommes duchesse. Tout un programme. Vieillard acariâtre. Tu es encore secoué par ta nuit. Nuit d'épouvante. Tu vas être en retard. Il faut te mettre en route, traîne-patins, direction l'hôtel PLM Saint-Jacques – marathon avec canne. L'hôtel, le plus moderne du monde, avec sa façade en écaille et ses ascenseurs ultra rapides. Nicole et Jean ne vont pas en revenir. Tu ne pourras pas revenir à Ussy. Dans quelques heures, ce sera fini – la maison, le jardin. Affaire classée. Donne-leur ce dont tu ne peux plus jouir. Tu ne peux plus jouir. Tu l'as bien assez fait.

Au Tiers-Temps

20 août 1989

[Radio]

Bonjour à tous, l'émission « Les Archives du théâtre » vous emmène, ce soir, sur les traces du plus français des Irlandais, d'un maître de la langue et de l'absurde : Samuel Beckett. L'écrivain dramaturge fête, cette année, les vingt ans d'un prix Nobel qu'il refusa d'aller chercher lui-même – par timidité, ont dit certains, par provocation, ont dit d'autres. Toujours est-il que cette date est l'occasion pour nous de vous faire découvrir les trésors cachés des archives du théâtre. Dans quelques secondes, vous découvrirez une interview de l'acteur Vittorio Caprioli diffusée alors que Aspettando Godot *se jouait pour la première fois en Italie. Cette archive sera suivie d'une diffusion intégrale de la pièce, en français, mise en scène – comme à son origine en 1953 – par le grand Roger Blin pour la Comédie-Française, le 2 avril 1978.*

Trois, deux, un, zéro… Allô Paris, ici Rome. Les consolations théâtrales s'assemblent, se dispersent, se refont à nouveau, selon les humeurs des artistes, les exigences des impresarii, les caprices du cinéma. Le metteur en scène Luciano Mondolfo et l'acteur Vittorio Caprioli

> se sont retrouvés sur les planches d'un petit et élégant théâtre romain : le théâtre du 6 via Vittoria. Ils y ont associé leur talent à celui de Marcello Moretti qui avait, on s'en souvient, emporté un très grand succès à Paris comme Arlequin dans la pièce de Goldoni – *Arlequin, valet de deux maîtres* – donnée par le Piccolo Teatro. Avec Claudio Ermelli, Antonio Pierfederici, Caprioli et Moretti, ils jouent depuis plusieurs semaines, avec le plus grand succès, une version italienne d'*En attendant Godot* de Samuel Beckett. Le peintre Giulio Coltellacci a créé un décor saisissant par sa simplicité et sa sobriété tragique. Le Tout-Rome intellectuel va au spectacle. Je vous en félicite, monsieur Caprioli, et je me félicite moi-même de vous avoir devant le micro pour cette émission spéciale...

Mais qu'ils se félicitent donc si ça peut leur faire plaisir ! Tout le plaisir est pour moi. Tout le plaisir a été pour moi. Grâce à Suzanne – reconnaissance éternelle. Suzanne qui a pris les devants, quand je restais derrière, colporteuse de pièces, marchande de manuscrits. Qui a attendu sous la pluie, les mains lourdes de pages. Qui a cogné à toutes les portes, gravi les cages d'escalier résonnantes des grandes maisons. Suzanne – espionne des conciergeries et des théâtres, tapie dans l'ombre du maître qui n'en était pas un. Le maître de la langue qui avait mis la sienne dans sa poche. L'avait avalée. Maître craintif qui tenait sa langue. Par peur qu'elle ne tombe. Par peur qu'elle ne fourche. Ou qui, en désespoir de cause, la donnait au chat pour qu'il l'en débarrasse. Maître-pleutre dans son trou caché. Tout le plaisir a été pour moi, grâce à Suzanne. Plaisir bâti de toutes pièces. De toutes ses mains, pour chaque pièce. Puzzle de théâtre édifié par Suzanne, alors que je restais là, à gratter. Que j'écrivais *en attendant* que ça se passe. En attendant que ça se fasse. Suzanne a pris le taureau par les cornes. Faisant fi de celles qui avaient poussé sur sa tête. Elle a pris à deux mains le courage qui me manquait. Suzanne me manque. Le courage aussi.

Suzanne les a tous vus. Les éditeurs, les metteurs en scène – ceux qui m'ont sorti du trou que j'avais creusé moi-même. Pas un trou déplaisant, d'ailleurs. Du moins m'y étais-je habitué sans le moindre effort. Sans qu'il me fasse l'effet d'un trou, je veux dire d'une faille ou d'une déchirure. Non, mon trou ou plutôt le trou dans lequel je me trouvais, au moment où l'on m'en a sorti, s'apparentait plus à une cachette. Une cachette dans laquelle je me plaisais à écrire. Dans laquelle je pouvais enfin écrire tout mon saoul. Sans me préoccuper en rien du reste. Des restes du monde qui se trouvait au-dessus de moi. Dans mon trou, j'étais enterré jusqu'au-dessus de la taille, les mains libres pour noircir frénétiquement les pages. Vannes ouvertes. Débloqué de la plume, telle une palombe – oiseau migrateur – qui, blessée, s'est vue contrainte d'interrompre son voyage et qui, recouvrant son aile valide, décide alors de la déployer. Jusqu'à l'épuisement. Jusqu'à ce que l'ivresse du vol la fasse mollement retomber sur la première branche. À moins qu'une cartouche ne vienne interrompre sa course. Fin tragique. Ce ne fut pas la mienne.

À vrai dire, dans mon trou – le trou que j'avais gratté moi-même et dans lequel je grattais –, j'étais, peut-être pas *heureux*, mais soulagé. Oui, soulagé. Gratter, ça soulage. Au moins sur le coup. J'étais d'autant plus soulagé que l'accumulation trop longue qui avait précédé la période de grattage avait eu pour effet de former une sorte d'abcès qui me faisait souffrir et que le grattage avait libéré. Plaisir du malade. Petit plaisir. S'était ensuivi un déferlement de pus. Ça pissait comme des rapides. Une demi-vie qui s'écoulait, en moins de temps qu'il n'en faut pour le dire. Qu'il n'en faut pour tout dire. Qu'il n'en fallait pour l'écrire. Je m'occupais de la fuite. Bottes aux pieds. Tentant de vider le trou à mesure qu'il s'emplissait de la demi-vie qui me revenait à la figure. Qui me revenait. Qu'il fallait que je délivre. Accouchement avec douleur. L'oreille attentive – celle que j'imaginais toujours derrière moi lorsque j'écrivais – était à mes côtés. Dans le trou. À mes côtés, parmi les innombrables personnages, les innommables auxquels il fallait pourtant que je trouve un nom. Ça venait comme ça : Molloy, Estragon, Vladimir, Malone. Ça venait. Ils venaient tous. D'ailleurs, le trou était plein. Comme un œuf frais de la veille.

[Radio]

Chers auditeurs, à la sortie de la pièce, un critique s'interrogeait dans son journal sur l'attente de ce fameux Godot. L'attente, véritable sujet au fond, et derrière elle, le mythe convoqué par l'auteur d'un idéal que chaque homme poursuit à sa façon sans jamais l'atteindre, et qui lui donne pourtant la force de continuer à vivre. Samuel Beckett représente l'existence de ces pauvres malheureux, c'est-à-dire nous tous, avec une cruauté qui n'a rien à envier à celle du maître Pozzo envers son esclave, la corde au cou, symbole de l'exploitation de l'homme par l'homme.

Un autre critique fait reproche à la pièce et à la mise en scène de Roger Blin de leur difficulté d'accès. *En attendant Godot* est certes une œuvre ardue, parfois même à la limite du soutenable, mais c'est précisément en plantant son arbre sur cette frontière que le dramaturge s'affranchit, d'une manière qui eût réjoui un Antonin Artaud, des contraintes de l'espace, du temps et même de la conscience.

« Le cricri de la critique... » Les malheureux se sont donné bien du mal. Et l'ami éditeur ? Et Blin et les autres ? Ils se sont donné tant de mal pour une pièce où il ne se passait pas grand-chose. Où il ne se passait pour ainsi dire rien. À part peut-être dans la cervelle de la dame en bleu, au troisième rang. Celle qui face à l'ennui que lui procurait le sinistre décor (la route de campagne, l'arbre, le gros caillou) se mettait à penser. Ou plutôt à songer – mot plus juste, idée de rêverie incluse. À quoi pouvait-elle bien songer d'ailleurs ? J'ai souvent pensé à elle, quand j'imaginais une représentation de la pièce – de *Godot* pas encore joué, pas encore *Godot* –, j'imaginais toujours, au troisième rang, la dame en bleu qui, s'ennuyant à mourir, se mettait à songer. Remède contre l'ennui. *En attendant*, je veux dire en attendant que la pièce se passe, à quoi pensait-elle ? Peut-être à ce représentant de commerce passé la voir, ce même jour, vers quatorze heures, alors qu'elle était seule et que le vide de la maison résonnait péniblement en elle. Un représentant de commerce, beau comme un camion, qui vendait des méthodes de langues, avait sonné à sa porte, à l'heure du café. *Bonjour madame, je vous propose d'apprendre l'italien en quelques semaines*, avait-il dit. Elle l'avait laissé entrer. Elle d'ordinaire si méfiante, elle l'avait même fait asseoir, le temps d'un café, qu'elle n'allait pas prendre seule. Pas cette fois.

— Ce n'est pas difficile, madame. C'est une méthode sans peine. Vous n'avez qu'à la suivre. Les cinquante leçons sont accompagnées d'enregistrements sonores et de dessins humoristiques. C'est très plaisant, vous verrez. Et très facile. Dans quelques semaines, vous serez capable de lire Dante dans le texte, madame. Je ne plaisante pas, Dante !

Que s'était-il passé ensuite ? Avait-elle ou non cédé à la tentation, aux tentations ? L'histoire ne le dit pas. Ce que dit l'histoire – celle qui m'est tant de fois apparue dans mon trou, au moment où je l'imaginais –, c'est que la fameuse dame en bleu, au troisième rang à gauche, je veux dire côté jardin, était plus occupée à penser à son représentant de commerce et à sa belle moustache qu'à la représentation qui se jouait sur scène, sous ses yeux. Scène dont elle était pourtant proche, du moins d'un point de vue géographique, et qui n'était pas parvenue pour autant à retenir son attention. Néanmoins, il semblait que le fossé, celui dans lequel avait dormi Estragon, avait également eu pour effet d'éloigner la dame. Dommage collatéral. Et ce, dès le début de la pièce. Un fossé si grand que l'esprit de la malheureuse – de la bienheureuse, devrais-je dire, si on considère l'hypothèse de belles heures passées l'après-midi même en compagnie du représentant de commerce – l'avait enjambé et s'était mis à vagabonder. Esprit qui divaguait, qui divaguait si fort, qui divaguait si loin, qu'il n'en était jamais revenu. Aucun atterrissage. En tout cas pas avant la fin. La fin de Godot qui tardait à venir. Pas d'atterrissage. Pas même sur la première branche de l'arbre qui, nu sur la scène, lui tendait généreusement les branches. Ah ! l'atterrissage de l'esprit… Une science peu exacte. J'en sais quelque chose, moi dont l'esprit ne s'est jamais bien marié avec le reste. Avec mes restes. Avec mon corps. Et vice versa d'ailleurs : je veux dire, mon corps n'a jamais été non plus un excellent partenaire de mon esprit. C'est le moins qu'on puisse dire. Mon corps, ce compagnon de mauvaise fortune. Piètre moitié. Toujours prêt à agir à l'inverse de ce que lui dit le reste, j'entends par reste, cette fois, mon esprit. Corps impulsif se vouant à tous les saints – choisissant néanmoins les poitrines les plus opulentes, si tant est que la propriétaire soit un peu aimable. Corps volontiers serviable à l'égard de la gent féminine, sans trop de discrimination d'ailleurs. Seule condition : que l'on s'en tienne à ce que je peux supporter. Ce que je peux souffrir : griffures, morsures – passe encore –, mais pas de coups. Je ne les supporte pas. Ils me rendent hargneux comme une teigne. Non, les coups, je n'ai jamais pu supporter. Ni ceux de mes professeurs, ni ceux de May, qui niait toujours les avoir donnés, lorsqu'elle retrouvait son esprit – elle qui le perdait souvent. Esprit égaré aux confins du désespoir. Système nerveux malade.

Pour ce qui est de mon esprit, je dois dire qu'il n'est malheureusement pas plus fidèle que le reste de mon être. J'entends par là fidèle à ma volonté. Esprit clochard, esprit vagabond – toujours en train d'arpenter les chemins, les routes de campagne, au lieu de se fixer sur ce qui est en train de se dire. Ce qui est en train de se faire. Toujours un train de retard. Aussi n'en avais-je jamais voulu à la dame en bleu du troisième rang, que je comprenais comme une sœur lorsque, comme le taureau qui saute la barrière, elle laissait son esprit rejoindre le représentant de commerce qui l'avait tant fait frémir. Qui l'avait tant fait venir – le bel anglicisme, *come, sweetheart* –, tant et si bien qu'il avait fallu attendre les applaudissements tonitruants du petit théâtre de Babylone pour qu'elle revienne à elle. Corps et âme dans la pièce. Du moins dans la salle. Quand je dis *tonitruants*, ce n'est pas tellement dans l'intention de faire le coq, insinuant par la même occasion que la salle où se jouait ma pièce – en l'occurrence *Godot* – était pleine comme une outre, mais dans celle de retranscrire la scène avec la plus grande précision. Perfectionnisme congénital. Car il se trouve que la salle du théâtre de Babylone résonnait particulièrement, amplifiant le bruit des vivats auxquels je suis très sensible. Oui, je suis, depuis l'enfance, excessivement sensible au bruit – autre tare congénitale. Bruit d'autant plus difficile à supporter pour quiconque souffre d'oreilles sensibles comme les miennes que ce soir-là le public était plus nombreux que prévu, ce qui avait incité le personnel à ajouter des chaises pliantes à la hâte. D'où les applaudissements « tonitruants » susmentionnés, qui me donnent l'air de faire le coq, heureux que ça pleuve ainsi dans sa basse-cour. Le coq. Je dois dire que ce mot de « coq » est, quant à lui, éminemment heureux puisque, dans ma langue, cet oiseau-là peut, en fonction du contexte, également faire référence au membre utilisé, quelques heures avant la pièce, par le représentant de commerce pour faire plaisir à la dame en bleu. Pourquoi parles-tu de coq ? Vieux chapon !

Je voulais en venir aux spectateurs. Les spectateurs, je les imaginais heureux eux aussi. Heureux que la pièce se finisse. On se réjouit toujours quand tout est fini.

Délivrance incontestable. Même au théâtre. Quelle que soit la qualité de la pièce. Aussi étais-je heureux d'avoir offert aux spectateurs, fût-ce après la pièce, un moment de bonheur fugace. Celui de la pièce achevée. Et quand je dis « spectateurs », je veux dire la petite poignée de ceux qui, le cortex tendu, avaient attendu patiemment, prêts à découvrir le secret de ce diable de Godot. Attendant une apparition qui n'était pas venue. Qui ne m'était pas venue. Je n'y pouvais rien. L'esquive était plus forte.

Ce diable de Godot. Si Godot existe, je veux dire au théâtre. C'est par la grâce du seigneur Blin qui a remué ciel et terre. Blin, plus croyant que moi. Pas difficile. Il s'est donné tant de mal. Ils se sont tous donné tant de mal. Suzanne, Blin, l'Éditeur. Pour Sam l'esclavagiste. Le Pozzo en puissance. Celui qui attendait en se tournant les pouces. Qui attendait que d'autres tournent ses pages. Suzanne les a distribuées. Des centaines de pages envoyées – bouteilles à la mer. Presque toutes échouées. Quelques-unes rescapées. Atterries par chance sur les genoux de l'Éditeur.

L'Éditeur dans le métro, station La Motte-Picquet – Grenelle, le manuscrit de *Molloy* sur les genoux. Molloy lui parlait. Il l'amusait. Il l'amusait tellement que l'Éditeur riait comme une clé à molette qui se dévisse – *comme un tuyau*, dit-on chez moi, encore une expression que l'on doit aux Britanniques, *for God's sake.* Comme un bossu – rire sardonique : contraction involontaire des muscles de la face. *À se faire péter la sous-ventrière.* Il riait si fort, m'a-t-il raconté, que le manuscrit glissait. Il l'a refermé de peur qu'il ne tombe. De peur qu'il ne s'éparpille, manuscrit fragile, tout juste rescapé, pas encore broché.

L'Éditeur a pris l'embranchement, ligne 10 jusqu'à Sèvres-Babylone. À moins que ce ne soit Odéon, la chose est possible, c'est un marcheur. Il s'est faufilé, a traversé les couloirs sales. Les usagers, ceux qui comme lui rejoignaient leur correspondance, scrutaient le rictus que conservait son visage. Trace du rire que ce fou de Molloy avait décliqué. L'Éditeur au milieu des fous. Au milieu de mes fous. Il s'est donné tant de mal pour que j'aie de la chance. Une chance de pendu.

— Monsieur Beckett? Pardon de vous déranger mais la kiné va bientôt arriver.

D'ailleurs, mes fous ne rêvaient que de ça, je veux dire Vladimir et Estragon. Ils rêvaient de se pendre pour de bon. De danser au milieu des feuilles, sourire aux lèvres, queue tendue vers le ciel. De s'offrir une fois pour toutes une bonne valse. Restait inévitablement les contingences matérielles, difficiles à réunir, les détails techniques à mettre au point sur la longueur de la corde, sa qualité : en boyau, en chanvre, en jute? Si tant est qu'on ait la chance d'en avoir une sous la main. Ou l'équivalent : corde à piano, câble électrique, à bien y réfléchir n'importe quel lien aurait pu faire l'affaire, aurait pu leur offrir un dernier bercement dans les arbres, au milieu des feuilles sèches, prêtes à tomber.

— Elle veut faire un point avec vous sur vos jambes et la marche qui devient difficile.

Mais la pendaison – pas la pendaison telle qu'administrée jadis par les juges, alors généreusement prise en charge par des agents de l'État, non, je veux dire la pendaison réalisée à titre individuel – n'est pas si facile à mettre en œuvre. Elle requiert des capacités d'élévation incontestables. À moins de faire appel à une aide extérieure...

— Suite à votre demande, nous l'avons tenue au courant des évolutions récentes. Elle va vous proposer des exercices.

Dans une telle situation, comme dans la plupart, l'aide ne vient pas des autres. L'aide ne vient jamais des autres. L'extérieur ne vaut rien. Hélas, moi non plus.

— Vous voyez ces longues barres parallèles blanches ? Vous allez vous appuyer dessus – une sous la main droite et une sous la main gauche, comme ça – et vous allez marcher tranquillement jusqu'au bout. L'idée, c'est de bien utiliser vos bras pour soulager le poids sur vos jambes. Surtout, prenez votre temps. Je ne chronomètre pas. Ce n'est pas une course, d'accord ? Allez, je vous installe. Les mains... Très bien. C'est bon ? Vous pouvez vous lancer, je vous regarde.

— ...

— Doucement. Doucement, monsieur Beckett ! Pourquoi si vite ? Vous prenez trop de risques ! Vous allez vous faire mal. Ça vous fait rire ? Ah vous alors ! Je sais qu'il y a des tapis au sol mais quand même, je n'ai pas envie de vous ramasser à la petite cuiller. Allez, on reprend. Et mollo hein ?

— ...

— Non mais c'est pas vrai ! Monsieur Beckett, stop, stop. Attendez ! Attendez, je vous fais faire cet exercice pour vous aider à mieux marcher, pas pour que vous vous fassiez mal! Je veux bien qu'on refasse un essai, mais il faut vraiment que vous ralentissiez, ok? Sinon je vous ramène immédiatement dans votre chambre. Je vois bien que ça vous amuse, mais vous risquez de tomber. Bon. Dernière fois, je compte sur vous pour calmer le jeu.

On se ferait presque gronder! Si ça m'amuse d'aller vite, je veux dire à l'échelle du vieillard, je vais vite, voilà tout. Je vais toujours trop vite. Déformation originelle. Toujours aimé la vitesse. Bélier fougueux. Animal intrépide. Et têtu comme un bœuf pour ne rien arranger à l'affaire. C'est comme ça. Incorrigible. Toujours aimé la vitesse. Y compris celle qui précipitait ma chute, ma perte. Aller vite, parler vite. Jusqu'à plus de souffle. C'est ça que j'aime. Même au théâtre, même dans ma pièce *Pas moi* – une histoire débitée à toute vitesse. Une grande bouche qui déblatère, qui dégoise. Une large bouche, pleine de dents. Une bouche aussi belle que folle, dans un noir de théâtre. Deux lèvres rouge sang qui s'affolent. Qui profèrent. Qui condamnent. Se ravisent. Bouche ouverte de femme excitée. Affolée, devrais-je dire. Ce sont les autres qui s'excitent devant l'agitation de cette bouche qui lâche tout. Qui ne retient rien. Pas même les cris. Bouche de femme terrifiante. J'en ai des frissons. Souvent eu des frissons devant les bouches de femmes. De femmes qui crient. De femmes qui, laissant le frisson les envahir, ressemblent à la bête dont la beauté fait oublier la sauvagerie profonde. La bête endormie, si belle que l'on ne peut s'empêcher de s'en approcher. Sans se méfier. Pendant son sommeil. La bête charmante qui s'était laissée aller après avoir dévoré sa proie. Dont le réveil soudain – sûrement un bruit, à moins que ce ne soit à nouveau la faim ? – laisse entrevoir des dents de loup. Cauchemar de mon enfance. Tant de nuits passées entre les dents de cette belle bouche. Dents aiguisées comme des rasoirs, guidées par l'appétit féroce d'un ventre que la nuit m'empêchait de distinguer. Des dents au bord d'une langue caressante et chaude. Langue enveloppante, irrésistible, qui se frottait imprudemment au tranchant des incisives – le couperet. Cauchemar de cette bouche dans laquelle je me trouvais – tout ou partie. Toujours un peu de moi dans la bouche incontrôlable. La bouche suave dans laquelle je m'aventurais au commencement, sans la moindre méfiance. Animal intrépide. Jeune Sam, fougueux. Je m'avançais de mon propre chef, happé par la chaleur des lèvres humides et la voix de sirène qui en faisait vibrer les parois. La bouche humide était une mer calme qui me toilettait de sa langue – râpeuse, juste ce qu'il faut – pour que je m'abandonne. Je m'abandonnais toujours. Jusqu'à ce que tout tremble. Qu'un brouillard épais prenne la place de mes pensées. Que progressivement les courants changent. Qu'une vague annonciatrice monte lentement et m'emporte dans la tempête. Je m'abandonnais à la tentation la plus irrépressible. Tout entier tendu vers cette bouche qui m'aspirait. Qui m'aspirait de façon si incontrôlable que je disparaissais tout entier en elle. Aspiré par cette belle bouche. Enveloppé par la langue chaude qui me serrait jusqu'au garrot. Je tentais de sortir, Jonas prisonnier du suçoir qui, quelques minutes auparavant, l'avait tant exalté. Je me réveillais tremblant, tâtant timidement mon corps, tout ou partie. M'assurant qu'il ne me manquait rien. Il ne me manquait rien. L'ivresse qui m'avait envahi avait-elle semé un tel trouble que je m'étais moi-même égaré sur cette frontière étroite, ce précipice vertigineux qui sépare le cauchemar du rêve? L'abandon que cette bouche avait suscité si fort en moi, qui m'avait soudainement placé à mille lieues de moi-même, avait-il révélé les peurs d'un plaisir qui, une fois passé, me vaudrait des représailles terribles? Je ne sais pas. Néanmoins, ce que je sais, c'est que chaque fois que le sommeil a bien voulu de moi; qu'il m'a accueilli dans ces abîmes où se logeait le plaisir effroyable d'une bouche incontrôlable, je m'y suis précipité, poussé dans le dos par le vent de la peur qui soufflait derrière moi. Vieux maso.

— Monsieur Beckett, ça va? Vous m'avez fait peur. Heureusement qu'il y a les tapis. Je vous ai dit que vous alliez trop vite. Je vous aide à vous relever.

Quelle belle bouche elle a. Avec des dents taillées comme des perles – légèrement écartées. Quand elle s'énerve, elle parle plus vite. Beaucoup plus vite. Ses lèvres s'étirent de plus en plus. Les commissures remontent vers les joues.

— C'était trop pour une première séance. Je suis désolée, c'est ma faute. Je vais réfléchir à d'autres exercices pour la prochaine fois. Plus adaptés à vos problèmes de jambes. C'était une mauvaise idée de vous proposer les barres. Trop tôt. Je regrette.

Pas moi. Sensations inespérées. Retrouvé un temps les délices du danger, ami de longue date. Déambulé sur la brèche. Dernier vertige en attendant la chute.

Au Tiers-Temps

25 août 1989

Trouvé une feuille de chou sous ma porte ce matin. Le journal du Tiers-Temps. On aura tout vu, même si on n'y voit plus grand-chose. Nom officiel : *La Gazette vermeille.* Pincez-moi si je rêve. Il semblerait que l'on doive cette riche idée au zèle d'une infirmière dont le nom m'échappe. Je tiens à préciser qu'outre le titre, que je m'abstiendrai de commenter tant il parle de lui-même, le contenu – si je puis dire – a pour dessein de relater les pénibles pérégrinations des têtes grises, des futurs manquants. Quand je dis «manquants», je pense à ceux que l'on a vus, il y a peu, dont on n'a plus eu de nouvelles et dont on découvre un jour, au hasard d'une promenade, le nom de baptême inscrit sur la tombe...

Je vais trop vite. Je vais toujours trop vite. Ce que je voulais dire à propos de cette histoire de journal de vieux. De vieux sur la brèche, de futurs manquants à l'appel – encore un petit effort, presque arrivés, course de vieux se bousculant au portillon. Bref, ce que je voulais dire, c'est que cette histoire de journal me rappelle cette fois où, pendant que je m'échinais à lancer des pierres aux satanées mouettes du parc de Merrion Square – mouettes prétentieuses, sans gêne, l'une d'entre elles m'avait violemment arraché mon sandwich au cheddar –, j'entendis derrière moi un étrange dialogue. Ça se passait sur un banc de bois patiné par la pluie, devant un parterre de pensées violettes et de jonquilles en fleur. C'était au début du mois de mars, me semble-t-il. Pourtant, l'air était si bon que la nature même se laissait tromper par ce printemps précoce. Je jetais des pierres aux mouettes voleuses qui se régalaient de mon déjeuner perdu, quand j'entendis un vieil homme s'adresser à un autre qui venait à sa rencontre.

— *Hiya, I'm glad you're here. Haven't seen you for a while. Jesus, I was looking if I could find you at the back of the newspaper!*

— *Ah! No, not yet. But soon.*

Ça me fait toujours rire. Si je devais traduire – seul exercice dont je sois capable ces jours-ci, et encore à petite dose –, je dirais ceci. Tout d'abord le contexte :

Bill, assis sur un banc de Merrion Square, lit le journal en s'arrêtant longuement sur la dernière page. Il ne remarque pas encore Sean qui se dirige vers lui, à petits pas, canne à la main. Enfin, leurs regards se croisent. Sean prend péniblement place aux côtés de Bill qui replie son journal.

— Bonjour mon vieux. Ça faisait un bail. Je suis bien content de te voir. Pour ne pas dire soulagé. Bon Dieu, j'étais justement en train de regarder si je trouvais ton nom sur la dernière page du journal.

— Pas encore mon vieux. Mais j'y travaille.

Ah ! les histoires dublinoises. Toujours une touche de sel. Appétence pour le malheur – pas donné à tout le monde. Maladie chronique. Atavisme que je chéris. Le seul peut-être. Mais celui-ci, je le chéris. Il faut toujours que ça grince, là où on ne s'y attend pas. Rire qui frotte, qui fait toujours un peu mal. Flagellation plaisante – on ne se refait pas. Quelques coups de lanière, souple si possible, pas si désagréable. Ça déleste. Surtout si on tient soi-même la tige. Plaisir proportionnel au malaise, s'intensifiant à mesure qu'augmente le désarroi. Rire vaseux comme un fond de rivière recelant autant de doux secrets serrés dans des bouteilles vides que de cadavres disparus sans laisser de trace. Rire qui de la tête aux pieds contient le monde, dont les maigres prouesses se reflètent dans le regard des plus vieux de ses habitants. Les vieux, grands maîtres du rire – ce qu'il y a de meilleur en Irlande. Plus rien à perdre. Impatients même. Impatients de rejoindre l'arrière du journal. La page *Mémoire* ou *Libra Memoria*. Cimetière de papier.

> « Défunt : Monsieur Untel, natif de Wicklow, âge : 83 ans. Madame et ses enfants ont la joie de vous faire part du décès de... »

Célébrité posthume. Pour en revenir à la *Gazette*. Celle du Tiers-Temps. Le numéro que j'ai trouvé sous ma porte s'intitule *La Guinguette*, rapport au bal que le personnel a organisé cet été, dans le jardin. Bal des pompiers délocalisé chez les grabataires. On ne peut que saluer l'aspect incontestablement pratique de la chose. Le pompier, idéal du vieux : moitié cavalier, moitié urgentiste.

Cocktail idyllique. Bal rondement mené, impeccablement sécurisé. M'étant fait porter pâle, je ne peux raconter en détail le spectacle qui s'est tenu ici. Néanmoins, le jardin se trouvant sous mes fenêtres, je peux témoigner du choix des rengaines qui sont parvenues jusqu'à mes esgourdes. Des javas éreintantes. On aurait dit que la guerre venait de s'achever. Horloge figée, aux aiguilles cassées. Voyage dans le temps. Pas envie d'y revenir.

J'imaginais les sapeurs gaillards soutenant les tristes restes de résidentes en mal de flirt. Certaines le sont à coup sûr, en témoigne l'histoire de la petite vieille blonde. Celle qui a perdu la tête et qui pourtant a trouvé, dans son malheur, le réconfort d'un grand voûté. Celui de la chambre 20. Beau vieillard chevelu au regard d'acier. Il la console. C'est déjà ça. Il la cajole, l'embrasse comme du bon pain. L'enlace comme une débutante. La vieille blonde en glousse de plaisir. En glousse de désir. Les yeux émerveillés devant son amour de vieillesse. Son dernier grand amour. L'amoureux en question est aussi frappé qu'elle. Mémoire perdue. Sens égarés. Un point partout, la balle pas tout à fait au centre mais qu'importe. Tout va pour le mieux. Tout irait du moins pour le mieux s'il n'y avait, les dimanches, les visites incessantes du mari – toujours vivant, pas encore gâteux. Le mari témoin de la tromperie du grand âge. Témoin de l'amour qu'il n'a pas su donner à la vieille blonde qui bouillonne et se jette frénétiquement dans les bras du grand voûté. Sans même s'en rendre compte. Sans comptes à régler. Secouée par un tremblement plus violent que les autres : le frisson du dernier amour. Pas une ligne sur la vieille blonde et son amant dans la *Gazette* – comme l'appellent désormais les fidèles lecteurs. Insanes récits. Photos d'anniversaire

– une année de moins. Un clou supplémentaire dans le cercueil. Gros plans sur les bobines striées, yeux perdus, cailloux dégarnis couronnés de chapeaux pointus en carton. *Happy birthday.* Déférence feinte envers ceux qui tiennent encore la rampe. Doigts perclus d'arthrose solidement agrippés. Seule réjouissance : l'horoscope. Comment dit-on *Aries* en français déjà ? Ah oui, Bélier, mémoire astrologique défaillante.

Pour les résidents nés entre le 21 mars et le 20 avril : Bélier.

DE BONS PASSAGES DE NEPTUNE : Temps propice à la rêverie et à l'introspection. Bons ou mauvais, les souvenirs referont surface, vous faisant envisager l'avenir avec sagesse. Apprenez de vos erreurs, voilà le maître mot.

SATURNE EST EN TRIGONE À VOTRE VÉNUS : Vous êtes aimé par vos proches d'un amour fidèle et inconditionnel.

PLUTON SUR L'ASCENDANT : Attention à ne pas être rattrapé par vos vieux démons. Sarcasme. Idées noires. Tempérament secret. Surveillez votre santé. Les excès sont à éviter pendant cette période de fragilité.

Mes vieux démons. M'ont-ils déjà lâché un jour ? Une nuit ? Une heure ? Tout au plus sont-ils restés prisonniers quelque temps. Ligotés dans la pièce adjacente. Jamais très loin. Tellement proches que je les ai toujours pris pour moi. Eux aussi d'ailleurs. Il se peut bien que dans l'enfer auquel je ne crois pas j'aie déjà une solide réputation. Part sombre largement au-dessus de la normale. De la tête au bassin au moins. Sauf les couilles. Que tu crois, vieux sadique ! Démon de la tête aux pieds, rien à sauver. As-tu oublié la pauvre Mouki, que tu as congédiée comme une malheureuse ? Alors que tu l'aimais. Moins que ta peur. Tu as préféré ta Suzanne qui t'épargnait bien des peines. Satanées couilles, jamais là quand on a besoin d'elles. Lâcheté déguisée en loyauté envers la première. Sadisme de haut vol envers les deux. Chapeau melon ! Non, si on compte les couilles et les jambes qui ne tiennent plus, la part sombre est si vaste que le derrière d'un éléphant pourrait s'y poser. Toutes proportions gardées, bien sûr.

Quelques gestes pour te racheter par-ci, par-là. Charité mal ordonnée. Les prisonniers n'avaient pas besoin de toi. Pas plus que May devenue folle sur son lit d'hôpital. Ta mère qui ne te reconnaissait plus. May délirante, la jambe pendue sur cet étrier de l'enfer. Agonie interminable.

Et ton frère ? Ton frère. Distribution injuste des rôles : l'un né pour durer, l'autre pas. *Il n'y a que la mauvaise herbe qui pousse toute seule*, disait May. Sans nourriture, sans chaleur. Qui pousse éternellement. Qui survit aux tempêtes. Qui résiste au gel. Aux saisons interminables durant lesquelles les pensées ne laissent aucun repos. Aucun répit. Tu es le dernier de ton île où la pluie pleure pour toi. Pleure à l'horizontale. Des jets violents – Kärchers de tristesse qui usent la roche, qui balaient tout. Jaillissant jusqu'au ciel, éteignant les étoiles, étouffant la lumière jusqu'au dernier rai. Voilà ta punition. Orphelin de tous. Bon qu'à compter les cadavres. À les empiler sous tes pieds. À faire fleurir les tombes sur lesquelles tu ne peux aller. Sur lesquelles croissent la mousse et le lichen. Parasites aussi immortels que le boiteux impénitent qui te regarde dans le miroir. Tu es venu à bout de tout. À bout de tous. Le temps a fait de toi un assassin, matricide, fratricide. Un veuf infidèle. Tu as tant désiré ta solitude de chien. Ta solitude de loup.

Like a fish out of water. Ne mélange pas tout, tu as choisi ta langue. Seul comme un poisson hors de l'eau. Fin inexorable. Et te voilà, asphyxiant loin de la mer d'Irlande, loin de la *mer éternelle qui racontait toujours la vieille histoire au fond du jardin.* La mer au bord de laquelle, enfant, tu rôdais déjà comme un fantôme. Enfant déjà mort. Presque pas né. Vieillard, pas encore mort.

TROISIÈME TEMPS

— Monsieur Beckett ? Monsieur Beckett, ouvrez-moi s'il vous plaît ! Monsieur Beckett, vous m'entendez ?

— ...

— Vite Françoise, aide-moi. Monsieur Beckett, ça va ? Est-ce que vous m'entendez ? Serrez-moi la main. C'est bon. Ouvrez les yeux. C'est bien. Ça va ? Vous avez mal quelque part ? Non ?

— ...

— On va vous mettre assis, vous respirerez mieux. Doucement. Très bien. Je vous mets votre oxygène au minimum. Respirez bien calmement dans le masque. Le docteur va arriver.

— ...

— Françoise, tu préviens ? C'est le docteur Morin qui est de garde. Tu lui dis que monsieur Beckett a fait une chute de son lit. Elle le connaît bien.

— ...

— Ça va ? Vous respirez bien ? Oui ? Vous m'avez fait peur ! Vous ne vous êtes pas fait mal ? Non ? Vous êtes sûr ? Vous êtes encore souple ! Ah ! vous souriez, c'est bon signe. Qu'est-ce qui vous est arrivé, vous avez voulu attraper quelque chose ? Vous vous êtes penché ? Vous avez roulé, c'est ça ? Vous ne savez pas ? C'est pas le whiskey quand même ! Non, il est trop tôt. Je vous taquine, je vous taquine. Oui, je sais. Jamais avant dix-sept heures. Vous êtes très discipliné, c'est bien.

— ...

— Ah ! vous reprenez des couleurs, c'est mieux. Le docteur va arriver. Je préfère l'attendre pour vous relever. Mais ne vous inquiétez pas, je reste à côté de vous. Je ne vous lâche pas d'une semelle. Attendez, je baisse un peu votre tricot, on voit votre ventre. Comment ? Oui, c'est exactement ça : « Couvrez ce sein que je ne saurais voir. » Vous alors ! C'est de qui déjà ? Victor Hugo ? Ah, Molière ?

— ...

— Je vous tourne pour que vous puissiez appuyer votre dos contre le lit, ce sera plus confortable. Voilà. C'est mieux comme ça ? Pas trop dur le bois ? Vous me dites, hein ? Vous m'avez fait peur tout à l'heure. Ils sont hauts les lits ici, sacré plongeon quand même. Décidément, c'est la journée, madame Colard aussi a glissé en sortant du réfectoire à midi. Heureusement, rien de cassé. J'espère que c'est fini pour aujourd'hui les acrobaties. Une chance que vous soyez si léger, si vous aviez été plus gros, vous vous seriez fait beaucoup plus mal.

— ...

*

— Monsieur Beckett... Qu'est-ce qui se passe ? Docteur Morin !

— ...

— Monsieur Beckett ? Répondez-moi. Est-ce que vous pouvez ouvrir les yeux ? Monsieur Beckett ? Appelez le Samu, Françoise. Dites-leur qu'on a un patient de plus de quatre-vingts ans qui a perdu connaissance après une chute de son lit. Nadja, il vous a parlé tout à l'heure ?

— Pas beaucoup, mais il me comprenait très bien. Il vient juste de perdre connaissance.

— Le pouls est stable. Il respire. On le réinstalle sur le lit. Position semi-assise. Mettez l'oxygène à faible débit. La tension est à combien ?

— 11-8.

— Bon, les pupilles réagissent, c'est pas un arrêt cardiaque. Il respire correctement. Il va revenir à lui. Posez-lui une voie d'abord et installez la perf. On va lui faire un électro en attendant qu'ils arrivent, ça leur fera gagner du temps.

Sam has a whale of a time, comme on dit. Une baleine, c'est ça – cette vieille baleine de Sam échouée sur la moquette. Enfin, baleine, façon de parler, maudite bique. Ou alors spécimen rachitique – rorqual à museau pointu. Individu particulièrement autodestructeur, qui coule seul. Sans la moindre assistance de pêcheurs. Noyade inattendue alors même que le capitaine était là, derrière, prêt à entamer la poursuite, harpon entre les dents. Sam, meilleur ennemi de lui-même. Il sait très bien s'y prendre. Se prendre dans ses propres filets. Mammifère suicidaire. Qui provoque sa chute. Croulant-coulé. Fin de la bataille navale. Il a bien roulé, le père Sam. Bien roulé par terre, bon Dieu.

Baleine échouée en mer profonde – la comparaison n'est pas si mal. Étant donné que j'ai moi aussi la moitié de la cervelle qui fonctionne, et pas seulement la nuit. État permanent. Le reste, c'est du porridge. De la confiture, bonne maman. La baleine, quant à elle, garde un demi-cervelet en éveil lorsqu'elle dort. Demi-organe indispensable de survie, puisque destiné à lui rappeler une chose essentielle, une chose cruciale : penser à respirer. À aller régulièrement chercher de l'air à la surface. Obligation vitale. Que j'oublie, pour ma part, trop souvent. Preuve que je me surestime : un demi-cerveau ? Un quart, tout au plus. Peut-être moins. Moins qu'un cétacé. C'est assez pour ce qu'il me reste à faire.

Je me demande si je ne fais pas erreur. Évidemment, avec un quart, on n'est plus sûr de rien. En sécurité nulle part. Sont-ce bien les baleines qui cogitent à mi-temps ? Ne suis-je pas tout à coup en train de confondre leurs aptitudes avec celles des dauphins ? Brouillamini général. Caboche irréparable. Aux trois quarts. Allez, un effort. Convocation des rescapées – je parle des quelques cellules flottantes. Des rares neurones indemnes.

Il est une absolue certitude que le cerveau des dauphins fonctionne à mi-temps comme expliqué plus haut. Mais quid des baleines ? Elles ne peuvent respirer au fond de la mer, c'est une évidence. Il faut donc bien qu'elles aient une astuce. De là à dire que c'est nécessairement la même, il y a un pas. Ou deux. Les baleines et les dauphins sont-ils dotés des mêmes facultés cérébrales ? Si je pense à Melville – bon sang, je ne peux pas avoir oublié ça. Descriptions minutieuses des qualités exceptionnelles de Moby Dick, cétacé des cétacés, et des autres –, cétologie de haut vol. Cachalot, *Grampus*, narval et Moby Dick, reine des baleines à dents. Moby Dick décrite sous toutes les coutures. Moby Dick la *sperm whale* – ça ne s'invente pas. Quant au rorqual à museau pointu, mon frère dans le fond – les fonds marins –, le voilà noyé dans la grande famille des rorquals. Pas très aimable selon Melville, cétologue en chef.

The Fin-Back is not gregarious. He seems a whale-hater, as some men are man-haters. (Le rorqual n'est pas grégaire. Il semble haïr ses semblables à l'instar de certains hommes.)

Jusqu'ici, difficile de nier une certaine ressemblance.

Very shy; always going solitary; unexpectedly rising to the surface in the remotest and most sullen waters… (Très timide, toujours solitaire, il émerge de façon inattendue dans les eaux les plus lointaines et les plus mornes…)

Ça devient troublant… Le rorqual. À envisager en cas de réincarnation. À moins que je n'en sois déjà un ? Ceci expliquerait cela.

His straight and single lofty jet rising like a tall misanthropic spear upon a barren plain… (Son souffle droit, haut, unique, s'élève comme le fût d'un arbre farouche, seul dans une plaine nue…)

Melville ! Poésie indépassable. Pour le rorqual, c'est entendu. Mais impossible de me souvenir de la moindre ligne sur l'activité neurologique de la baleine. Ça doit être, à peu de chose près, identique…

Service de neurologie de l'hôpital Sainte-Anne

8 décembre 1989

— Il dort encore, docteur. Il pousse des gémissements mais il dort. Voulez-vous qu'on le réveille ?

— Pas encore, l'électro est bon, il est hors de danger pour l'instant. Je repasserai à la fin de ma tournée. On va voir ce qui se passe d'ici là. Tenez-moi au courant s'il continue à s'agiter.

*

Le titre (ça je me rappelle) : *Film*. Muet (moi pareil). Noir et blanc. (Et les acteurs ? Ils sont là, sur le bout de la langue...) Buster Keaton : l'homme. Nell Harrison et James Karen : le couple de passants. Susan Reed : la vieille dame (la fameuse). Gros plan sur l'œil de l'homme. Une ville en ruine (toujours les ruines), traversée par un mur immense recouvert de mousse. Panoramique vertical du mur, puis travelling horizontal jusqu'à un immeuble abandonné. Mouvement brusque de la caméra. Vue sur l'homme qui court (comme un cheval, comme une poule sans tête). Il s'arrête pour regarder un mystérieux paquet, dos aux spectateurs, puis repart en courant.

Keaton. Regard de dément. Vieille paupière ridée comme une prune. Comme un vieux sac. Un regard sans couleur dévorant l'écran de son iris et qui, loin d'être un voile, faisait plutôt l'effet d'une trappe, d'une porte dérobée – *backdoor* –, fondue dans la tapisserie du mur, parfaitement imbriquée dans son relief, cachant des choses inavouables. Au nez et à la barbe de tous. Des choses inavouables – lesquelles ? Je ne savais pas. Je cherchais, quand je tournais *Film*. Je tournais, je virais. J'avais beau chercher à le percer, non l'œil, mais son secret, rien ne filtrait. Rien d'autre que l'autorité folle de cet œil qui habitait l'écran. Qui le prenait tout entier. Dans ses moindres recoins. Keaton occupait le décor et l'attirait à lui comme un aimant. Matériau magnétique dur dont l'aimantation rémanente et le champ coercitif sont grands. Force attractive troublante, y compris pour moi qui étais de l'autre côté. L'œil – le mien cette fois – collé au viseur, dans la petite fenêtre depuis laquelle je m'efforçais de faire un cadre. Œil pour œil – laissons de côté les dents –, le mien rivé sur celui de Keaton, qui absorbait tout, comme une éponge. Oui, c'est ça, comme une éponge, dont les trous, comme des vases miniatures, se tenaient prêts à recueillir tout ce qui voudrait bien s'y déverser. Œil spongieux. Pas vraiment un œil. Pas comme les autres. Particulièrement humide. Aucune effusion pourtant. Œil constellé de veinules rouges et saillantes, humide comme s'il se préparait à répandre, sur quiconque le regarderait de travers, des trombes de malheur. S'il contenait des pleurs, c'étaient ceux de ses victimes. Malchanceux qui un jour, peut-être un soir, avaient croisé sa route, sans vraiment lui prêter attention. Juste un regard, en passant. Ça leur avait coûté cher. Ils n'en étaient jamais revenus. Arachnéen, l'œil avait filé sa toile jusqu'à les attirer. Jusqu'à les retenir. Absorber leurs larmes. Grande sécheresse. Plus une goutte. Vampire oculaire. Œil sans fond comme une pupille aveugle. Pupille d'un aveugle qui voit. Pupille abominable. Œil de cyclope qui en aurait deux. Un comble.

Dans sa course, l'homme bouscule un couple de passants lisant un journal (enfin, lisant... regardant les gros titres). Plan rapide sur le passant qui vacille, puis se rattrape. Gros plan sur la passante qui regarde l'homme, intriguée. L'homme se faufile entre eux et reprend sa course. Il enjambe les décombres, marche sur des planches. Retour de la caméra sur le passant qui remet son chapeau et ses lorgnons (ça y est, ils l'ont vu. Le voilà en danger). Gros plan sur les passants côte à côte qui fixent la caméra et se mettent à crier.

Ils m'ont vu, moi aussi. Ils ont vu mon œil dans le viseur. Tu te croyais à l'abri derrière ta petite fenêtre. Tu croyais calculer les angles, sans qu'ils remarquent rien. Ton œil était pris au piège. Lui aussi, prisonnier du film. Le Cyclope c'est toi, mon vieux. Le monstre – fils d'Ouranos et de Gaïa. Mais lequel ? Brontès ? Stéropès ? Argès ?

Pas du tout, rien à voir avec le Cyclope. Tu n'es qu'un œil parmi les autres. D'ailleurs eux aussi ont été vus, je veux dire par d'autres que toi. Même l'homme n'a pu y échapper. Malgré les mille et une précautions qu'il a bien voulu prendre pour se fondre dans le décor. Rien à faire. Malgré la cape noire qui enveloppait sa silhouette. Malgré le chapeau enfoncé sur le crâne, lui-même couvert d'un tissu soyeux comme une pochette de costume. Un tissu qu'il avait pris soin de coincer sous son canotier pour mieux cacher son visage. Il a été vu, lui aussi. Peut-être pas identifié, mais qui sait ? Et si sa photo était dans le journal, dans le journal que tenait la passante ? Sa photo imprimée, en gros plan, à la page des faits divers. Ah ! il peut courir comme un lapin, comme une chauve-souris qui échappée de l'enfer fait battre ses ailes pour aveugler le rapace, son prédateur. Le voilà fait comme un rat. Pris en flagrant délit dans sa course folle. Photographié en plein vol.

*

— Normalement, les examens cardiaques sont bons. Il n'y a pas de raison qu'il ne revienne pas à lui. Vous avez essayé de le réveiller ?

— Pas encore, on vous attendait, docteur. Il est encore très agité mais il garde les yeux fermés. Comme s'il faisait un cauchemar.

— Monsieur Beckett ? Monsieur Beckett, vous m'entendez ? Ouvrez les yeux si vous le pouvez. Je vois que vos paupières bougent, vous pouvez les ouvrir. Allez-y, essayez.

— …

— Vous me voyez ? Je suis le docteur Utrillo. Vous êtes à l'hôpital. Non, non, gardez les yeux ouverts. Je sais que c'est fatigant mais vous allez vous y habituer. Pardon pour la petite lampe dans l'œil, je vérifie rapidement vos pupilles. Ça, c'est bon. Suivez mon doigt. Très bien.

— ...

— Est-ce que vous vous rappelez ce qui s'est passé ? Vous pouvez enlever le masque si ça vous gêne pour parler. Vous vous rappelez ? Vous avez fait une syncope, à la maison de retraite. Vous êtes tombé de votre lit. Comme on ne sait pas exactement pourquoi, on va vous faire des examens complémentaires. Votre famille est en route, vos neveux, je crois. Ils viennent d'Irlande, c'est bien ça ?

— ...

— Bon, ne vous fatiguez pas trop mais essayez de rester un peu éveillé. On va vous apporter un repas. Je repasserai vous voir tout à l'heure. Non, non, ne vous rendormez pas tout de suite. Essayez de garder les yeux ouverts le plus possible. À tout à l'heure, monsieur Beckett.

⋆

Travelling sur l'homme qui tourne le coin de la rue (à toute berzingue, toujours à toute berzingue) et entre dans un immeuble. Zoom sur l'homme qui s'arrête et pose ses doigts sur son poignet pour prendre son pouls (cent pulsations minutes. Au minimum).

Quel âge Keaton pouvait-il bien avoir au moment du film ? Soixante-dix ? Soixante-quinze piges ? Aucune idée. Pas un perdreau de l'année en tout cas. Même s'il sautait encore comme un chat, le vieux saltimbanque. Il avait déjà connu quelques averses, en témoignait sa carrure, hier si gracile, devenue imposante. Pas gros, non. Pas la brioche par-dessus le ceinturon, mais quand même il ne faisait pas pitié. Toujours est-il que je m'étais dit, le voyant si bien portant, que le grison serait certainement essoufflé après une telle course. D'où l'idée qu'il s'arrête un instant pour prendre son pouls. Vérifie l'état de fonctionnement de la machine. Tu parles d'un grison ! Keaton était encore un drôle, un gosse à côté du tas de ferraille que tu es devenu. Regarde-moi cette vieille peau qui critique, alors qu'elle a déjà fait cuire les trois quarts de son pain. Et encore, fraction approximative. Que reste-t-il du Sam qui suivait la caméra, montait à l'échelle jusque dans les nuages ? Un légume. Carotte ou panais ramollis sentant le camphre et la moisissure...

*

— Houhou, monsieur ?

— ...

— Bonjour. Pardon, on m'a demandé de vous réveiller. Je vous apporte votre plateau. Attention, c'est très chaud. Je vais vous retirer les couvercles et vous ouvrir les pots.

— ...

— Donc, aujourd'hui, vous avez en entrée un potage aux bolets. Pour le plat, le personnel qui s'occupe de vous au Tiers-Temps nous a bien expliqué que vous ne mangiez pas de viande, alors j'ai remplacé le jambonneau-haricots beurre par un médaillon de merlu-ratatouille, j'espère que ça vous ira. Vous aimez le poisson ?

— ...

— Un petit bout de fromage de Vicq ? Je vais vous l'étaler sur du pain, ce sera plus facile à manger. Et en dessert, un Flanby, ça, ça passe tout seul. Vous faites la grimace, vous n'aimez pas le Flanby ? C'est pas grave, je peux aller vous chercher une compote si vous préférez. Pomme-poire ou pomme-rhubarbe ?

— …

*

Travelling montant et descendant sur l'homme qui gravit quelques marches, aperçoit une vieille dame (vraiment vieille pour le coup. Pas de débat) et redescend se cacher sous la cage d'escalier. Elle ne l'a pas vu, elle continue à descendre l'escalier, un panier de fleurs à la main. Gros plan sur le visage de la vieille dame. Son sourire s'efface. Air de terreur. Yeux exorbités. Elle s'effondre. Les fleurs s'éparpillent sur le sol. Travelling vertical. L'homme était derrière elle, il s'enfuit à l'étage.

Cette fois, on a compris. Évidemment, combine plus que limpide. Pourtant, le malin est parvenu, une fois encore, à se dérober. Je veux dire à se soustraire à l'œil – le mien, celui de la caméra – qui ne l'a pas saisi. L'a laissé déguerpir. Il ne l'emportera pas au paradis, son crime gérontophobe. Pauvre vieille immolée, poussée d'un geste sec. Rien de plus facile. Pas besoin de grand-chose. Des lustres qu'elle était tangente. Ne tenait qu'à un fil. Un seul, qu'il a rompu comme une Parque. D'un geste sec et rapide – on pensera à un accident. La vieille tombée des marches. La vieille élégante, avec ses yeux noirs de poupée et son chapeau fleuri. Des vraies fleurs, que la coquette avait soigneusement attachées sur le devant. Une rose blanche et du chardon. Désormais effondrés à côté de la vieille. À côté de la morte.

Tu vois bien que la vieille l'était bien plus que lui. Sûrement sa mère ! Sinon quoi d'autre ? Sinon pourquoi précipiter sa chute ? Ça n'aurait pas de sens. Ni queue ni tête. C'était elle, la vieille aux yeux noirs comme des trous, la principale responsable. Elle, l'authentique coupable de son existence. Coupable de tout. Elle qui avait si longtemps caché sa cruauté derrière le masque. Derrière le chapeau fleuri. Succube. Démon séducteur, punissant les hommes de leur traîtrise. Évidemment, tous des traîtres ! Toi le premier. Inutile de chercher bien loin. Les cadavres sont tous là, squelettes maudits, ne demandant qu'à sortir de leur placard. Non, la vieille ne l'a pas volée, sa fin pitoyable : un dernier cri inaudible, dont le film muet ne recrache que l'image.

Service de neurologie de l'hôpital Sainte-Anne

9 décembre 1989

— Bonjour monsieur, je viens pour... Monsieur Beckett ?

— ...

— Vous dormiez ? Excusez-moi de vous embêter, je viens pour la toilette. Mes collègues m'ont dit que vous aviez demandé de préférence un homme pour la toilette. Je m'appelle Frédéric.

— ...

— Pour ne pas trop vous fatiguer, je vais vous faire une toilette rapide au lit. Attendez, je mets mon tablier et je vais remplir la cuvette juste à côté. Je reviens tout de suite. Vous préférez le gant ou l'éponge de douche ?

— ...

— Pas trop chaud ? Ça vous fait du bien ? Je vous raserai demain, si vous voulez. Voilà, on est bon pour le haut, les aisselles, attention, je vais essayer de ne pas trop vous chatouiller. Vous me dites ?

— ...

— Attendez, je change de gant. Désolé, mais je suis obligé de passer partout. Ici aussi. Je me dépêche, vite fait bien fait.

— …

— C'est bon, le plus dur est fait. Vous pouvez baisser votre chemise, ça ne me gêne pas pour faire les jambes et les pieds.

— …

— Et voilà, propre comme un sou neuf. Comment vous dites ? Comme un sifflet ? Ah, c'est joli. Je ne connaissais pas. C'est de l'anglais ?

★

Plan serré sur les mains de l'homme qui ouvre une serrure. Il entre dans la chambre, referme la porte et dispose la chaîne pour se cadenasser à l'intérieur. Il prend à nouveau son pouls (hypocondriaque incurable).

Retour à la chambre. Celle de l'enfance. Celle dans laquelle il suppliait la nuit qu'on allume une lampe pour éteindre sa peur. La chambre familière, inquiétante, aux murs lézardés comme une peau laissant apparaître des veines. Laissant apparaître les peines. Une peau fine, enveloppe fragile – pas vraiment protectrice. Familière malgré tout. Comme une vieille douleur. L'homme peut maintenant retirer le tissu qui dissimulait son visage. Le voilà enfin à l'abri.

Tu ne vois rien ! Tu ne vois jamais rien des détails du décor. Tu oublies la fenêtre dont la vue sur la rue passante pourrait, à elle seule, le trahir. Malgré les rideaux sur lesquels l'homme s'acharne et qui, inexorablement troués, l'exposent. L'exposent à l'échafaud – il n'y échappera pas, le matricide. Il le sait. Ou alors seulement si la chance lui sourit. Et pourquoi ne lui sourirait-elle pas ?

À toi, elle a bien souri. De toutes ses dents. D'ailleurs tu ne t'es pas fait prendre. Les autres, eux, y ont eu droit. Ils ont été emportés. Toi, tu as eu de la veine. Tu faisais du foin sous le soleil qui brillait. Eux se sont fait prendre. Maintenant c'est son tour. L'homme le sait.

Panoramique de la chambre : on voit une desserte sur laquelle sont posés une cage et un aquarium. Mouvement rapide de caméra laissant apercevoir une chaise à bascule, une affiche (peut-être un portrait de guignol, je veux dire la marionnette) et un miroir accrochés au mur. Plan serré sur le centre de la pièce où se trouve un panier, dans lequel sont couchés un chien de petite race et un chat noir et blanc.

J'ai dit à l'abri. Pas hors de vue. Si l'homme se trouvait hors de vue, il n'y aurait pas de film. Le voilà à l'abri, avec pour compagnons des bêtes. Il devrait être satisfait – le misanthrope, le sauvage. Personne à part les bêtes. C'est plaisant les bêtes. Surtout à la campagne, c'est vrai. N'empêche que celles-ci semblent étonnamment tranquilles pour des animaux ayant été laissés un temps à l'intérieur. Le chat et le chien, d'ordinaire toujours partants pour la vadrouille – *on the road again.* Là, aucune agitation. À peine quelques battements de cils. Ils attendent, gentiment lovés au fond de leur couchette. Pas de quoi fouetter un chat. Ni son compère.

Tu te laisses encore berner comme un bleu. Par le panier à mémère, à chachat et à chienchien. L'homme, lui, a compris tout de suite. Il a senti le danger. Les regards programmés comme des grenades. Comme des bombes. Il les a sentis se poser tour à tour sur lui. Même ceux qui se cachaient subrepticement dans les lézardes ou dans les reflets du miroir. Il les a tous sentis. D'abord le perroquet, puis le chat et enfin le chihuahua… Il ne pouvait rien faire que les mettre à la porte. *Get the fuck outta here!*

Plan large sur la chambre : l'homme prend le chat dans ses bras, ouvre la porte, met le chat dehors, referme la porte. Panoramique horizontal vers la droite : l'homme va chercher le chien, ouvre la porte, met le chien dehors. Le chat en profite pour rentrer.

L'un qui sort, l'autre qui entre. Vieux gag. Comédie éternelle, qui me fait toujours rire. Presque autant que ce bon vieux *Accroche-toi au pinceau, je retire l'échelle*. Le meilleur. Paraît-il qu'il en existe même une version théologique. Le diable en rit encore. Lui aussi.

Et ensuite ? Une fois l'échelle retirée ? Que peut-il encore se passer ? Rien. Il ne se passe jamais rien. Jamais rien de bon lorsqu'on est seul, dans l'obscurité de la chambre, et que la lumière, la simple lumière du jour, suffirait à dévoiler le crime et son coupable. Le matricide. Que veux-tu qu'il fasse, le matricide ? Mis à part se cacher, mis à part se haïr. Mis à part fuir son propre reflet. *Self-hatred*, dirait-on en anglais. Peu importe, pauvre con, puisque le film est muet. Puisque tout le monde se déteste, à un moment ou un autre. Surtout à la fin. Quand les décombres du corps n'ont d'égal que ceux de l'esprit qui tombe en quenouille. Et que les voix accusatrices s'élèvent. Même quand on ne les entend pas.

Service de neurologie de l'hôpital Sainte-Anne

10 décembre 1989

— Monsieur Beckett ?

— …

— Comme vous le voyez, madame Fournier, monsieur Beckett est très fatigué, il dort beaucoup ces jours-ci. On est contraint de le réveiller pour les soins et les repas.

— …

— Monsieur Beckett ? C'est le docteur. Ouvrez les yeux s'il vous plaît, j'aimerais vous dire quelques mots.

— …

— Comme je l'expliquais à votre amie madame Fournier, les résultats des examens ne nous ont malheureusement pas appris grand-chose de nouveau sur votre situation. On ne connaît pas l'origine des syncopes. Pour l'instant, donc, on continue le traitement et on surveille.

— …

— Bon, je vous laisse. Je crois que vous allez avoir de la lecture, monsieur Beckett. C'est bien, un peu de stimulation. C'est quoi ? William Butler Yeats ? Je ne connais pas. Un Irlandais ?

*

Panoramique horizontal : la couverture tombe du miroir, l'homme se jette sur elle et le recouvre à nouveau. Mouvements de caméra circulaires. L'homme prend place sur la chaise à bascule et se saisit du paquet qu'il transportait tout à l'heure. Au début du film.

J'aimais bien cette idée du butin. D'un petit trésor que Keaton aurait trimballé, depuis on ne sait où. J'aimais bien. Pas la cassette d'Harpagon, ni la mallette de billets façon gangster. Non, un butin plutôt modeste. Un butin qui n'en serait un que pour lui, au fond. Valeur sentimentale. Maintenant qu'il est là comme un pirate dans la chambre, le bandeau descendu sur l'œil. Maintenant qu'il a fait le vide, qu'il est installé dans le fauteuil. Il va enfin pouvoir l'ouvrir, le mystérieux paquet sorti de la serviette de cuir, qui n'est autre que...

Tais-toi ! Il faut toujours que tu ailles trop vite. Beaucoup trop vite. Que tu racontes les choses avant qu'elles arrivent. Maudite pythie ! Pythonisse pourrie ! Un serpent, voilà ce que tu es. Un immonde reptile vivant dans une grotte, terrorisant ses comparses. Tu parles d'un oracle, à ce stade on ne sait encore rien de ce que recèle la serviette. On sait seulement que l'homme y attache une extraordinaire importance. Qu'il la serre contre son cœur comme une femme. Comme si son existence en dépendait. Plutôt mourir que de la perdre. Que de la perdre comme tu as perdu ta femme.

Gros plan sur le perroquet dans la cage. Caméra derrière l'homme se dirigeant vers la cage et enlevant sa cape. Gros plan sur l'œil du perroquet qui cligne (*wink*). Caméra derrière l'homme qui recouvre la cage de sa cape. Plan serré sur l'aquarium et le poisson rouge. Caméra derrière l'homme qui se dirige vers l'aquarium et le recouvre également.

Évidemment, on pense toujours au plaisir du voyeur – plaisir réel, j'en sais quelque chose. Mais quid du déplaisir de l'autre? «Scopophobie». Je veux dire de celui qui, observé, craint la jouissance de son voyeur. La craint comme on craint la honte. Comme on redoute un châtiment. Jouissance prise, d'une certaine manière, sur son dos.

Enfin, quand je dis jouissance, je veux dire jouissance au sens large. Je ne pense pas au sexe, en l'occurrence, ni à Keaton d'ailleurs. J'évite même soigneusement de penser aux deux concomitamment. Mauvais mélange, en ce qui me concerne. Ah! les goûts et les couleurs. Keaton, ce que je voulais, c'était le voir. Derrière mon viseur. Non seulement le voir en train de voir, mais aussi le voir en train d'être vu. Ou en train d'imaginer qu'on le voyait. Je me demandais combien de temps il pourrait tenir. Jusqu'où monterait la crise. La crise qui montait en lui comme le lait sur le feu dans une casserole chauffée à pleins gaz. Je sentais enfler son délire comme s'il était en moi, heureux qu'il ait choisi un autre. Heureux qu'il ait choisi Keaton. Keaton tant qu'à faire.

Ça y est, le voilà qui se confesse, le scénariste barbare, le metteur en scène diabolique. Un tortionnaire, pas mieux. Il a nourri le mal. D'abord la fenêtre, puis le miroir et même l'horrible poisson rouge aux yeux comme des globes. Maintenant qu'il les a recouverts de sa cape, peut-être va-t-il enfin pouvoir souffler. Ouvrir la mystérieuse serviette.

Caméra derrière l'homme qui se balance sur le fauteuil. Zoom sur la serviette qu'il ouvre et dont il sort des photos.

Photos numéros 1 et 2 : Portraits d'une femme portant un chapeau.

Photo numéro 3 : Un dandy et un chien faisant le beau devant lui sur une table.

Mais qui est cette belle femme, élégante et sévère? Sacrebleu, d'où sort cette photo? Hippocampe à l'abandon. Mémoire de poisson rouge. Plus de trous que de gruyère. Mémoire en lambeaux qui agite les images comme on fait danser les flocons d'une boule à neige.

Qui est donc cette femme? Avec sa capeline d'un autre temps. Son épouse? Sa mère, lorsqu'elle était jeune, avant qu'il ait vu le jour? Avant que sa naissance la rende complètement folle, elle qui l'était déjà un peu. Qui l'avait toujours été. Une folle en puissance. Pas encore éclose. Pas encore sa mère.

La mère, la mère! Arrête un peu avec la mère! Tu ne penses qu'à elle, alors qu'elle est morte, ensevelie dans la terre de Greystones. Entre la mer et la montagne. Les montagnes de Wicklow. Ce n'est pas elle. Elle n'est pas dans le film. Pas dans la serviette. Pas même sur cette photo. D'ailleurs l'homme ne la regarde même plus, il est passé à la photo suivante. La photo du dandy.

Dandy à chapeau, canne et moustache, une pointe d'affectation dans les manières – le cliché. Il fait des courbettes à un chien, lui-même perché sur une table. Le chien aussi fait le beau – sur les pattes arrière, tout entier tendu vers son maître. Déférence feinte ; le dandy cache un sucre dans sa manche.

Regarde bien. Ce dandy penché sur son chien, ne te rappelle-t-il pas quelqu'un ? Tu n'as pas pu oublier ! Pas lui ! Regarde encore : le costume rayé, la canne, la moustache… Ne reconnais-tu pas le maître, pauvre chien ?

Non, sur ce point, je suis formel. Joyce était plus maigre. Beaucoup plus maigre. Une allure de grand échalas, avec ses grandes cannes, je parle de ses jambes, et son menton pointu. Pointu comme un bec. Comme un clou.

Les clous dont tu parles sont ceux de son cercueil ! Joyce est mort. Souviens-toi. Tu l'oublies toujours. Il est mort pendant la guerre, il n'en reste plus rien. Il ne restait même pas assez de sa dépouille, pas assez de ses restes pour les rapatrier en Irlande. Tu as bien essayé, mais c'était inutile. Joyce était devenu poussière.

Oui, Joyce est mort. La guerre a signé sa fin. La fin du maître, mort au milieu des morts. Mort d'une mort qui n'avait rien à voir. Rien à voir avec la guerre. Pourtant… Pourtant, les mots de Joyce sont là, indemnes dans mon cortex usé. Mots miraculeusement réchappés de tous les naufrages. De tous mes naufrages. Ils sont là, toujours prêts à sortir. Me ramènent inexorablement vers cette fille, cette fleur des montagnes. Mots de miel. Les mots de Joyce ne claquent pas. Pas de saccades. Pas de coups. Ils pépient comme la grive qui venait à moi des montagnes. La grive que j'apercevais venir au loin depuis la fenêtre de la cuisine, les matins à Foxrock, à l'heure où le jour occupait déjà les âmes de la maison. Où je restais là dans la cuisine de May, observant la grive au loin qui me montrait le chemin. Le chemin de liberté qui parcourt le ciel. De la mer à la montagne. Qui surplombe tout. J'ai traversé les naufrages, les mots de Joyce en tête. Les mots de Joyce en cœur. En chœur pépiant leur histoire de fille, de fleur des montagnes – *tweet tweet*. Les voilà qui *tweetent* encore alors même que la nuit guette. Ils poursuivent le récit à ma place – mémoire ambulante, mémoire volante. Je vous écoute.

Oui, la fille, tout comme les filles andalouses, mettait une rose dans ses cheveux. Une rose rouge. Il y avait aussi cette histoire de mur et de baiser. De fille qui, considérant que celui-ci n'était pas plus mal qu'un autre, légèrement au-dessus de la moyenne peut-être, avait enfin sauté le pas, *Yes*, les *Yes* de Joyce indélébiles se bousculent. Encore un *Yes*. Bis du désir. Un *Yes* planté dans les yeux tout droit – langage universel. Il ne veut pas dire *oui*, il veut dire *encore*. Elle dit encore. Encore *Yes* pour l'étreinte et pour le cœur qui bat la chamade et oui *I said yes I will Yes*.

Photo numéro 4 : Un étudiant en costume de cérémonie recevant son diplôme des mains de son professeur.

La toque du lauréat avec son cher pompon – université de langue anglaise. Oui, mais laquelle ? Aucun indice concluant. L'homme, le tueur, est-il un ancien de Trinity College ayant opté par la suite pour un chemin de traverse ? Serait-ce l'une de ces brebis égarées dont nous parle le Bon Pasteur ? Parabole du bon berger qui aurait fait de mauvaises rencontres. Croisé les fameux mauvais compagnons dont on nous parlait le dimanche à l'église tandis que je m'assoupissais sur ma chaise ?

À moins que ce ne soit pas lui. Regarde bien. Ce n'est

pas l'homme qu'on voit sur la photo. Regarde-moi cette grande tige. Ce dadais à longue mèche, à longue mèche plaquée sous la coiffe. Tu vois bien que c'est toi ! Toi, toujours toi, le jeune premier à lunettes rondes, fier comme un dieu, comme une montagne, fier d'apparaître ainsi devant tes professeurs. Devant tes parents.

⋆

Vous pouvez lui parler. Votre oncle vous entend. Il est très agité, pour les raisons que je vous ai expliquées, néanmoins, quand il ouvre les yeux et revient à lui, il est, la plupart du temps, cohérent. Je vous conseille de lui parler dans sa langue, peut-être que ça peut créer une stimulation supplémentaire. On ne sait pas. Ça vaut le coup d'essayer. Je repasserai le voir demain. On refera un point ensemble, si vous le voulez bien.

⋆

Photo numéro 5 : Photo de mariage. Un couple pose devant les grilles d'un jardin.

On sait ce qui les attend, les malheureux. Tous les deux enterrés jusqu'au-dessus de la taille. Lui, dormant. Elle, à moitié folle. Seuls, l'un à côté de l'autre. Avec pour seul horizon les petits riens, les gestes infimes qui les éloignent encore de la fin. Le brossage de dents à heure fixe et les conversations pour rien. Plaisirs modiques. Brossage du temps. Sur la photo, eux ne savent pas encore ce qui les attend. Sur la photo, le couple est distingué, mais modeste. Le marié porte un simple veston. Ni jaquette, ni basques dans le dos, ni pardessus bleu et frangé à poils longs. Encore moins de chemise à col cassé.

Pourquoi aurait-il besoin de tout ça ? Ces tenues-là n'existent que dans les histoires. Les histoires des autres que ta mémoire recrache. Pour un mariage, un simple veston suffit. Ce n'est pas ça qui changera la donne.

Oui, d'accord sur ce point, le veston suffit. C'est peut-être même trop, eu égard aux circonstances pénibles, au calvaire conjugal – le pléonasme – qui les guette. Qui nous guette tous. Raison pour laquelle je n'en portais pas, le jour du mien. Mon mariage. Jamais pu me résoudre à employer ce mot pour qualifier ma liaison – en l'occurrence il n'y en a pas, hasard de la phrase – avec Suzanne. Tant il me semble impropre. Je veux dire le mariage. Enfin, impropre, disons que ce qui me chiffonne, c'est le fossé – décidément –, le fossé qu'il y a entre le mariage tel qu'on l'entend d'ordinaire et le mariage tel qu'il nous phagocyte. Tel qu'il nous digère et finalement nous rejette. Se rejette lui-même, comme une mauvaise greffe. Jamais aucune information à ce sujet dans les actualités. Aucune alerte sur ce fléau qui depuis des millénaires fait pourtant d'innombrables victimes. Pas un seul mot avant d'y être soi-même confronté. Avant qu'il soit trop tard. Alors même qu'on nous bassine chaque jour avec le prix du baril – autour de dix-neuf dollars, me semble-t-il ? Passons. Toujours est-il que le jour de mon mariage, je ne portais pas de veston. Seulement ma vieille veste en peau retournée et mon béret. Et je la supportais, ma vieille peau chaude, en ce jour glacial. Je la supportais, de même que Suzanne supportait la fourrure dans laquelle elle était emmitouflée, capuche sur la tête. Pas peau d'âne mais presque – le cake d'amour, tu parles, nous étions si vieux, Suzanne et moi, nous avions si froid. Des vieux jouant aux époux. Épouvantails. Épouvantables. L'intérieur de sa capuche était fourré lui aussi de ses quelques mèches blanches qui dépassaient. Les mèches de son fameux carré – nom qu'elle donnait à sa coiffure. Carré mi-long avec frange épaisse recouvrant un front de mathématicienne. C'est ce qu'on dit, «avoir un front de mathématicienne». Elle ne l'était pas. Suzanne, c'était le piano. Ça a toujours été le piano. Le reste, c'était de la gnognotte pour elle. Des pommes de terre mâchées de la veille.

Photo numéro 6 : Photo prise dans un jardin, devant une maison. Un homme tient un enfant dans ses bras.

Le bébé éternel de la photo. Saisi au moment où il en était encore un. Dans les bras de son père. Ça n'a pas duré longtemps. Une ou deux années tout au plus. *Time is flying*. Le temps a filé à la vitesse du vent, emportant avec lui son lot de poussière. Poussière de l'enfance.

On croit toujours que ça file, mais c'est interminable. Combien de temps tout cela va-t-il encore durer ? Personne ne sait. Tu n'aurais pas parié cher sur ta propre durée. Pourtant tu n'en finis pas. Malgré tout. Malgré les blessures. Malgré la guerre. Malgré tes jambes. Alors que les autres, tous les autres, si solides, se sont couchés, bouche ouverte. La tienne gémit encore. Bonne qu'à éructer de mauvaises pensées. Des souvenirs absurdes. Le héros du film, lui, s'en est débarrassé. De ses grosses pognes il a déchiré les photos. D'un geste vif. Les fragments de papier glacé multipliés sous ses mains meurtrières. Parcelles douloureuses. Éliminées les unes après les autres. Assassin de papier. D'abord l'enfant, qui ne l'est pas resté. Puis l'épouse. Le voilà qui refait le chemin à l'envers. Jusqu'à la cérémonie du diplôme. Que va-t-il rester à la fin ? Reste-t-il jamais quelque chose ? Même le chien. Même Joyce. Des confettis.

Service de neurologie de l'hôpital Sainte-Anne

11 décembre 1989

Je suis désolé mais je dois vous dire que, ce matin, monsieur Beckett ne s'est pas réveillé.

[Un temps]

Suite à une nouvelle syncope, il est entré, pendant la nuit, dans un état que je qualifierais de coma 2. Cela veut dire que sa capacité d'éveil a disparu. On ne peut plus vraiment entrer en contact avec lui, même s'il nous entend peut-être, là-dessus je ne peux pas vous répondre, on ne sait pas vraiment.

[Un temps]

En revanche, il réagit encore aux stimuli douloureux. Il est d'ailleurs toujours très agité. Je vous donnerai cet après-midi des informations précises sur le protocole auquel a pensé l'équipe pour qu'il souffre le moins possible.

[Un temps]

Bien sûr, nous ne ferons rien sans votre accord à tous les deux. En l'absence d'enfant, vous êtes les membres les plus proches de sa famille. Vous êtes donc décisionnaires. Je ne sais pas s'il vous avait fait part de ses volontés en ce qui concerne sa prise en charge médicale. Si vous le voulez bien, nous reprendrons cette discussion tout à l'heure. Je vous laisse passer un peu de temps avec lui. On se voit cet après-midi.

*

Moi, je veux bien qu'on fasse *tabula rasa*. Qu'on déchire les photos et le reste. Allez hop, tous dans la poubelle. Grand débarras. Bébé jeté avec l'eau du bain – *baby thrown out with the bathwater* –, pour une fois qu'on est d'accord dans les deux langues. Pour une fois qu'on dit la même chose. Synchronisation de dernière minute. Serait-ce un signe ? Un signe de quoi ? Tout le tralala ? L'enfant sacrifié, comme l'agneau. Après tout, ce ne serait pas la première fois. Et puis après, qu'est-ce que ça change ? Rien de tout ça ne peut changer. L'homme a beau rester là, assis dans son fauteuil à bascule, il a beau avoir broyé de ses mains les images, elles restent là. Éparpillées. Collées à ses basques. Les images des vivants morts, photographiés avant qu'ils le soient. Figés dans le bonheur qui précède la fosse. Et toi. Toi qui es né au bord, tout au bord de la falaise, tu en as miraculeusement suivi la crête. Tu sentais sous tes pas la roche friable. Les éboulements que déclenchait ton passage. Tu ne voyais presque rien dans le brouillard épais. Dans ce brouillard de guerre.

Tu n'y voyais pas, pourtant tu entendais les cris de ceux qui tombaient. Ou de ceux qui déjà tombés attendaient encore de succomber aux blessures ouvertes. Ça a duré longtemps. Une éternité à entendre les râles des autres. Spectacle en trois actes. Avec entracte. Toujours des entractes. Maudits sursauts. Ultimes réflexes. C'était déjà fini. Tous des pantins désarticulés par la chute. Os brisés, partant dans tous les sens. Sortant de la chair rougie qui pissait comme de la lave. Camarades torturés jusqu'au bout des ongles. Ramassant le charbon à mains nues. Plus même la force de soulever une pelle.

Tu exagères toujours. Ça, c'était pendant la guerre. Ça n'a pas toujours été comme ça. D'autres ont connu la douceur du foyer. La mort à domicile. Les êtres chers autour. Le malade habillé et déshabillé par des mains familières. Privilège du parent. De celui qui a engendré. De celui qui a enfanté.

Qu'en sais-tu ? Que sais-tu du corps des parents livré aux mains de leur descendance, toi qui n'en as pas eu ? Toi qui n'en as jamais voulu.

Évidemment le doute plane encore. Même sur mes vieux jours. Le doute déguisé en espoir. Un fils perdu, retrouvé. Non, mieux, une fille. Oui, une fille. Fille d'un amour que j'aurais laissé s'enfuir. Que j'aurais laissé s'enfouir. Une Américaine de trente-deux ans, belle comme une image suspendue à un luminaire. Aussi précieuse que les trésors engloutis par l'océan que j'ai laissé nous séparer. Une fois de plus. Une dernière fois. Cette fois c'était la bonne. Cette fois c'était la fin. Mouki disparue. Enfin presque. Quelques lettres encore. Juste des lettres. Pas de fils. Pas de fille. Regrets inutiles.

Ne sais-tu pas que la descendance est cruelle ? Qu'elle

s'empare du corps familier du malade, du père ou de la mère, et qu'elle l'étouffe ? Ou, pire, rêve de le faire ? Tu y as toi-même pensé si souvent. Tu as pensé à abréger l'existence des malades de ta famille. Convaincu que tu ferais leur bien. Désireux d'assouvir la haine profonde qui sommeillait en toi depuis toujours et que leur mort a soulagée. Avoue-le. Tu as été soulagé de les voir partir. Tristesse inférieure à l'allégement provoqué par la mort. Par les morts dont tu as été le témoin. Satisfait comme le meurtrier qui assiste à la scène finale et observe le poison faire son œuvre. Le poison que tu as préparé durant ta vie entière. Alimenté de ta haine, agrémenté de ta bile, qui soudain réalise le miracle. La fin des autres que tu désirais dans la honte. Les autres : ton poison.

*

— Asseyez-vous, je vous en prie. Je vais répondre à toutes vos questions. Il faut qu'on se mette bien d'accord et que vous compreniez le protocole d'accompagnement que l'on est en train de mettre en place pour votre oncle.

Pour répondre d'abord sur la sédation. Il y a trois indications principales de sédation : le delirium, l'agitation si vous préférez, la dyspnée, des difficultés à respirer, la douleur bien sûr, et plus rarement les vomissements.

En l'occurrence, c'est surtout l'agitation qui m'incite à vous proposer une mise sous sédatif. Je pense que nous pouvons agir sur l'état d'anxiété permanent dans lequel se trouve monsieur Beckett depuis quelques jours et qui s'est nettement accentué la nuit dernière.

Je dois vous expliquer qu'il existe plusieurs niveaux de sédation. Pour pouvoir soulager votre oncle, il nous faudra le mettre dans un coma profond. Notre objectif, puisque nous ne pouvons malheureusement pas faire plus, est de l'apaiser au mieux.

Est-ce que nous avons votre accord pour la morphine ?

Avez-vous d'autres questions ?

À quoi bon raconter la fin ? Il n'y a rien à raconter. Ce qu'on raconte s'est toujours passé avant. Bien avant. Ou juste avant. Mais toujours avant. La fin, on ne sait pas. Avant la fin, ça n'a rien à voir. Il n'y a rien à voir. Qu'à attendre.

Juste avant la fin du *Film*, l'homme se balance dans le fauteuil à bascule en bois sombre. Il se berce comme s'il était dans les bras d'une nourrice. S'il y était, elle lui chanterait certainement quelque chose. Les nourrices chantent. *Hush, little baby.* Les nourrices chantent et promettent la lune. Promesses de l'aube.

Hush, little baby, don't say a word
(Chut, mon bébé, ne dis pas un mot)

Mama's going to buy you a mockingbird
(Maman va t'acheter un oiseau moqueur)

À chaque parole son lot de promesses. La nourrice promet tout. Un tas de récompenses destinées à acheter le silence. Mais l'enfant crie, il ne peut s'en empêcher. Comment pourrait-il faire autrement, maintenant qu'il sait – nous le savons tous – que le jour s'éclipse et que ce sera bientôt la nuit ? Le jour s'éclipse et la nuit prend pied. Ressac incessant. Ce sera ainsi tous les jours. L'enfant le sait. Chaque jour la même promesse d'un retour de la lumière qui inexorablement file. Se carapate. Lumière éphémère soufflée chaque soir. Il est minuit. On vient d'éteindre. Le matin est encore si loin. Bonheur inatteignable. Et en attendant ? En attendant – c'est toujours là le problème. En attendant, que faire ? Crier ? Pourquoi pas ? Rien de mieux que les cris pour effrayer les ombres. Pour éloigner les loups, puisqu'il n'y a plus de feu. Plus de lumière. Plus rien à quoi se raccrocher, si ce n'est à sa propre voix qui braille – présence rassurante. La nourrice irlandaise peut bien chanter dans son gaélique natal. *Seoithín, seo hó.*

Seothín a leanbh is codail go foill
(Dodo bébé et dors maintenant)

Ar mhullach an tí tá síodha geala
(Au-dessus de la maison il y a des fées blanches)

Faol chaoin re an Earra ag imirt is spoirt
(Qui jouent et folâtrent sous le doux clair de lune)

Seo iad aniar iad le glaoch ar mo leanbh
(Les voici qui appellent mon bébé)

Le mian é tharraingt isteach san lios mór
(Pour t'emmener dans leur grande forteresse)

Elle peut bien le menacer. Les fées ne sont rien à côté du péril que promet la nuit. Cette moitié d'obscurité à laquelle personne n'échappe. Moitié de verre vide.

Alors pourquoi pas crier?

Essaie, bon sang, essaie! Aie au moins ce courage. Gueule, mon vieux Sam, dans n'importe quelle langue! *Yell, you fiend, like a drill sergeant! Like a banshee!* Préviens-les des dangers, de l'obscurité. De la nuit. Sonne au moins l'alarme. Crie comme une banshee, avertis-les de la mort prochaine. De la mort qui arrive. Crie, si tu le peux encore.

Certes Samuel Beckett a bien existé, certes il a fini ses jours dans une maison de retraite nommée le Tiers-Temps, à Paris où il vivait exilé depuis un demi-siècle. Pourtant ce livre est un roman. Mon entreprise n'est pas biographique. Elle a consisté à faire de Beckett, à partir de faits réels et imaginaires, un personnage face à sa fin, semblable à ceux qui peuplent son œuvre.

Achevé d'imprimer
par CPI Firmin-Didot
à Mesnil-sur-l'Estrée, en mai 2020
Dépôt légal : mai 2020
Numéro d'imprimeur : 158613

ISBN : 978-2-07-287839-8/Imprimé en France

371952